D1535664

J'apprends à penser, je réussis mieux

José Racicot

J'apprends à penser, je réussis mieux

Éditions du
CHU Sainte-Justine

Catalogage avant publication de Bibliothèque et Archives nationales du Québec et Bibliothèque et Archives Canada

Racicot, José
    J'apprends à penser, je réussis mieux
    Comprend des réf. bibliogr.
    ISBN 978-2-89619-100-0
    1. Apprentissage. 2. Enfants en difficulté d'apprentissage - Éducation.
3. Éducation - Participation des parents. 4. Styles cognitifs. I. Titre.
    LB1134.R32 2008   370.15'23   C2007-942325-6

Photographie de la couverture : Nancy Lessard

Diffusion-Distribution
          au Québec : Prologue inc.
          en France : CEDIF (diffusion) – Daudin (distribution)
          en Belgique et au Luxembourg : SDL Caravelle
          en Suisse : Servidis S.A.

Éditions du CHU Sainte-Justine
3175, chemin de la Côte-Sainte-Catherine
Montréal (Québec) H3T 1C5
Téléphone : (514) 345-4671
Télécopieur : (514) 345-4631
www.chu-sainte-justine.org/editions

Dépôt légal : Bibliothèque et Archives nationales du Québec, 2008
              Bibliothèque et Archives Canada, 2008

Remerciements

Je tiens à remercier chaleureusement toutes les personnes qui, de différentes manières, m'ont soutenue dans ce projet d'écriture et, de façon plus particulière :

Marie-Claude Béliveau pour m'avoir proposé ce défi ;

Michèle Lambin qui en fut, sous plusieurs aspects, l'instigatrice et dont les commentaires judicieux m'ont éclairée dans ma démarche ;

Luc Bégin pour ses propos sécurisants et dont les critiques avisées furent essentielles ;

Sylvie Paquet et Jules Laliberté pour leur appui, leur appréciation et leur jugement ;

Micheline Dubuc et Virginie Martel, deux des rares spécialistes de la pédagogie des gestes mentaux au Québec, pour la rigueur de leur analyse ;

puis, finalement et surtout, mes élèves et leurs parents qui m'ont encouragée à persévérer et qui ont été une source continuelle d'inspiration.

La pédagogie des gestes mentaux habite toujours monsieur Antoine de La Garanderie puisqu'il continue à penser et à écrire sur le sujet. Il demeure la personne-ressource en la matière. Il maintient ses contacts avec l'Université d'Angers et poursuit ses conférences et ses consultations.

Table des matières

Préface

Heureux parents et intervenants qui venez d'ouvrir le livre de José Racicot, vous ne savez pas encore quelle petite mine d'or vous tenez entre vos mains! Cette orthopédagogue passionnée nous livre bien humblement ses secrets sur les petits et grands apprentissages de nos enfants.

Tout parent en arrive un jour ou l'autre à se demander comment s'y prendre pour soutenir son enfant dans ses devoirs et leçons. Bien entendu, il n'est ni question de s'improviser professeur suppléant, ni de faire les travaux scolaires à la place de notre enfant. Cela nous le savons déjà... sans compter que cela nous a été dit à maintes reprises par les enseignants et les intervenants. Mais il s'agit ici d'accompagner notre enfant; en fait, de prendre à la maison notre propre place de parent dans son apprentissage scolaire.

Ayant travaillé depuis près de 30 ans avec des familles, étant moi-même mère de cinq enfants, j'ai pu constater à quel point on peut se sentir démuni comme parent durant cette période des devoirs et des leçons. Non seulement au plan des connaissances qui sont parfois enfouies bien loin dans notre mémoire, mais aussi à celui des nouvelles méthodes d'apprentissage, à leur terminologie ainsi qu'à leurs stratégies qui nous semblent venir tout droit d'une autre planète. Nous sommes souvent partagés entre le désir de ne pas offrir à notre enfant des explications qui ne ressemblent en rien à celles de son professeur et la crainte de ne pas faire ce qu'il faut pour l'aider à apprendre. Et en ce sens, de ne pas être de bons parents.

Un jour, j'ai donc rencontré José Racicot. Son approche, son ouverture et sa créativité m'ont complètement séduite. À titre de travailleuse sociale, je voyais des jeunes qu'elle rencontrait comme orthopédagogue, et je m'apercevais à quel point ils avaient découvert avec elle une façon d'apprendre qui leur permettait d'intégrer et de retenir la matière. Elle m'expliquait comment aborder l'apprentissage et, à mon tour, je m'assurais que nos jeunes mettaient en pratique leur nouvelle démarche. Je rencontrais des parents soulagés de constater une plus grande autonomie chez leur enfant durant la période d'études à la maison. Je n'aurais jamais imaginé que le mot évocation pouvait jouer un rôle aussi déterminant: amener l'enfant à découvrir ce qui, pour lui, a du sens et ainsi faciliter son apprentissage.

Je me souviens d'une jeune fille de 1re secondaire pour qui l'apprentissage scolaire avait toujours été extrêmement ardu, malgré toute sa bonne volonté et toute la détermination dont elle faisait preuve. La démesure entre les efforts fournis et les résultats qu'elle obtenait rendait sa réussite précaire. C'est alors que José lui fournit des outils inestimables : prendre le temps de comprendre comment elle assimilait ce qu'on lui montrait dans des activités qu'elle aimait (activités de loisirs) et découvrir ainsi sa propre façon d'apprendre. Il s'agissait de la gestion mentale. Pour cette adolescente, ce fut le point tournant, celui qui lui permit de connaître des succès à la mesure de ses capacités et de croire que l'apprentissage scolaire lui était enfin réellement accessible. Ce fut le cas pour des dizaines d'autres enfants et adolescents que j'ai connus.

J'ai beaucoup encouragé José à mettre sur pied des ateliers destinés aux parents ; dès le début, ces ateliers ont connu un franc succès. Puis, je l'ai invitée à écrire ce livre qui nous est d'abord adressé à nous, parents.

La gestion mentale est un formidable outil pour apprendre. Lorsque nous amenons notre enfant à comprendre sa façon d'apprendre, nous participons avec fierté à sa réussite scolaire. L'école est un milieu de vie dont l'importance s'accroît avec le temps pour l'enfant. C'est là qu'il acquiert des connaissances cognitives et intellectuelles, qu'il développe des liens avec d'autres adultes qui croient en lui, qu'il noue des amitiés et qu'il en connaît les joies et les peines, qu'il trouve sa place dans un groupe de jeunes de son âge en dehors du nid familial.

Nous voulons que nos enfants soient heureux à l'école, car cela constitue un atout important pour leur développement affectif. Nous souhaitons qu'ils y connaissent de petits et de grands succès et qu'ils y découvrent chacun leur propre façon d'apprendre, rendant la période des devoirs et des leçons beaucoup plus harmonieuse. L'approche de la gestion mentale ne peut qu'aider à parvenir à cela.

La première partie du livre peut sembler un peu ardue : elle l'est ! La compréhension des gestes mentaux demande un effort comparable à celui que doit fournir un enfant pour apprendre. Toutefois, le fait de persévérer dans l'effort lorsqu'on utilise les outils appropriés est un grand pas vers la réussite. Avec la seconde partie de l'ouvrage, tout s'éclaire, car les exemples et les applications pratiques se multiplient. Il vous appartient de trouver votre propre façon de vous approprier le contenu du livre, de la même façon que vous aiderez votre enfant à découvrir sa propre démarche d'apprentissage.

Bonne lecture et puissiez-vous vous engager, un pas à la fois, sur la voie de la gestion mentale. J'ai l'intime conviction que tous peuvent en profiter. Tout s'apprend et tout pas, si petit soit-il, est important.

Michèle Lambin, travailleuse sociale
Thérapeute auprès des jeunes et de leur famille,
consultante clinique, formatrice et auteure

Introduction

Je travaille comme orthopédagogue depuis près de vingt ans auprès d'enfants qui, malgré la meilleure volonté, éprouvent des difficultés d'apprentissage. Devant leur échec, plusieurs se dévalorisent et leur estime de soi s'appauvrit. Ils perdent souvent toute motivation scolaire et certains en viennent, malheureusement, à vivre des problèmes d'anxiété, de dépression ou de décrochage scolaire.

Au cours de mes premières années de pratique, je me suis retrouvée très souvent face à ce qui me semblait être des impasses. Et comme plusieurs pédagogues et spécialistes de l'apprentissage, je constatais que malgré les différentes méthodes et approches, le transfert des apprentissages ne se faisait pas ou se faisait difficilement chez une trop grande partie des enfants. J'avais l'intuition que je pouvais faire plus pour aider les enfants, mais je ne savais pas quoi ni comment, jusqu'au jour où j'ai reçu une formation où l'on traitait des différents styles d'apprentissage.

Il y a des styles d'apprentissage différents. Une méthode qui a fait ses preuves auprès de plusieurs peut ne pas convenir à tous !

Il fallait que j'aille à la source ou, du moins, plus en profondeur pour mieux comprendre cette découverte que je venais de faire et qui me donnait de l'espoir pour ma vie professionnelle. Je me suis donc vivement intéressée pendant quelques années à la gestion mentale[1] qui est une approche pédagogique visant à faire prendre conscience à chacun de sa propre manière d'apprendre et des moyens pour la rendre plus efficace. Cette approche a été développée au départ par Antoine de La Garanderie. Père de la gestion mentale et auteur de plusieurs livres, Antoine de La Garanderie est né en 1920 en France. Il aurait dû être catalogué, selon la terminologie actuelle, comme un élève ayant des difficultés d'apprentissage. En effet, bien que brillant, il obtenait des résultats scolaires insatisfaisants, et ce n'est que beaucoup plus tard qu'on en comprit la cause : il était atteint d'une surdité précoce que la famille et l'école n'avaient pas décelée.

---

1. Nous utilisons les expressions « gestion mentale » et « pédagogie des gestes mentaux », malgré que les intervenants préfèrent cette dernière appellation.

Ayant toujours en tête les problèmes auxquels il fut confronté, il entreprit dès 1940, alors qu'il enseignait, des recherches pédagogiques visant à saisir le comportement cognitif des élèves doués. Il comprit, peu à peu, que ces élèves utilisaient une démarche mentale bien précise, basée sur ce qu'il appellera les «gestes mentaux» (attention, mémorisation, réflexion, compréhension et imagination créatrice).

Ainsi se développera la pédagogie de la «gestion mentale» ou des «gestes mentaux» qui offre des outils pour saisir et analyser notre fonctionnement cognitif lorsque nous sommes en mode apprentissage et, par le fait même, pour soutenir non seulement les élèves en difficulté mais toute personne voulant connaître et apprendre.

Dès lors cette pédagogie, qui met en lumière les habitudes mentales de chacun et qui décrit des conditions essentielles pour le transfert des apprentissages, a imprégné ma pratique au quotidien. Je comprenais que les transferts d'apprentissage ont plus de chance de s'actualiser si on informe les élèves au fur et à mesure qu'ils apprennent des *où, quand* et *comment* ils vont devoir se servir de leurs nouvelles connaissances et habiletés. De plus, je découvrais qu'il est très important que des contextes diversifiés d'utilisation leur soient présentés. Il est alors devenu impératif, pour moi, d'en informer les parents afin d'harmoniser nos interventions et d'augmenter les chances de réussite des enfants.

J'ai donc commencé par présenter aux parents quelques ateliers sur l'accompagnement lors de la période consacrée aux devoirs et aux leçons. Ces ateliers proposent des façons d'aider en se référant aux principes de base de la pédagogie des gestes mentaux. Ils amènent aussi les parents à prendre conscience d'une partie de leur propre gestion mentale et, surtout, à mesurer la diversité des fonctionnements mentaux.

Ce sont les parents qui sont présents dans le quotidien de leur enfant et qui l'accompagnent. Ce sont eux qui ont la vision la plus globale de l'enfant, au contraire des spécialistes qui ne le connaissent que partiellement. Il va donc de soi que je m'adresse aux parents en espérant que certains principes fondamentaux véhiculés par la pédagogie des gestes mentaux (l'habitude de l'introspection cognitive, c'est-à-dire **de l'auto-observation des procédures mentales pendant et après l'exécution d'une tâche intellectuelle,** l'évocation et le projet de sens) s'inscrivent dans la vie quotidienne de la famille. En effet, la gestion mentale ne s'applique pas uniquement au contexte scolaire. Il serait bien dommage de manquer les belles occasions que nous offre le quotidien de la vie. Développer de nouvelles habitudes de penser demande de l'entraînement journalier et des contextes diversifiés que la vie familiale offre naturellement.

Il y a différentes habitudes mentales, ce qui signifie qu'il y a différentes façons d'apprendre et, par conséquent, qu'il n'existe pas de méthode qui convienne à tous. En ce sens, la gestion mentale n'est pas présentée comme une recette que l'on doit appliquer de la même manière à tout le monde. Il faut se méfier des recettes qu'on prétend universelles. Ce serait trop facile et même ennuyant : l'être humain est complexe. N'est-ce pas ce qui fait la beauté de la chose ?

La gestion mentale a ceci de particulier qu'elle n'implique pas que l'on doive apprendre une méthode pour ensuite l'appliquer aux connaissances que l'on veut s'approprier même si les gestes mentaux eux-mêmes doivent faire l'objet d'un apprentissage. La gestion mentale s'appuie sur le fonctionnement cognitif même de la personne. Elle l'amène à mettre à jour ses habitudes mentales pour ensuite en faire meilleur usage, voire à les enrichir.

> Ce livre n'a pas la prétention de présenter toutes les notions de la théorie et de la pédagogie des gestes mentaux ou de la gestion mentale. Il se veut un outil pour les parents et les intervenants qui désirent être sensibilisés à cette approche.

La gestion mentale amène les êtres à se respecter mutuellement par une meilleure compréhension de l'autre et de soi-même, notamment dans son processus d'appropriation des connaissances et dans le développement de ses habiletés.

Dans la première partie, nous verrons sur quoi repose la pédagogie des gestes mentaux ou de la gestion mentale. Les concepts d'évocation, de projet de sens, de projet d'avenir, d'habitudes mentales, de gestes d'attention et de mémorisation sont traités pour vous permettre d'ores et déjà d'entrevoir des interventions adaptées pour vous et votre enfant.

En deuxième partie, des applications sont proposées pour des activités liées à la période des devoirs et des leçons, dont quelques-unes sont en lien avec des activités familiales. Les gestes de compréhension, de réflexion et d'imagination créatrice seront abordés en lien avec ces activités.

Étant donné le peu d'ouvrages disponibles sur la gestion mentale ou la pédagogie des gestes mentaux s'adressant aux parents, la plupart des concepts présentés ici peuvent paraître nouveaux. Vous vous retrouverez donc dans une position semblable à celle de votre enfant lorsqu'il fait de nouveaux apprentissages à l'école, à la maison ou ailleurs.

Voici quelques recommandations pour vous aider à saisir les concepts abordés qui vous amèneront à mieux vous les approprier afin d'y recourir graduellement.

D'abord, projetez-vous dans l'avenir. Ayez en tête la raison pour laquelle vous lisez ce livre. Vous ne lirez pas de la même manière si vous devez en faire un résumé à un groupe de parents ou si vous êtes un parent qui désire améliorer ses interventions auprès de son enfant ou,

encore, si vous enseignez et que vous voulez adapter les recommandations de la gestion mentale à votre classe. Les concepts seront mieux
compris et auront plus de chances d'être conservés dans le temps si vous
vous imaginez en train d'agir selon votre projet futur.

Après la lecture d'un paragraphe, d'une page ou d'un chapitre,
prenez le temps de vous redire dans vos mots ce que vous venez de lire ;
ou représentez-vous les notions vues sous forme de dessins, de schémas,
de tableaux tout en vous imaginant intervenir auprès de votre enfant, ou
en train de présenter votre résumé à un groupe de parents.

Il est tout à fait normal d'avoir besoin de relire certaines parties du
livre, car ce sont souvent des concepts connus mais abordés de manière
différente et qui demandent à être appropriés graduellement. En fait,
cette relecture est même souhaitable et elle fait partie des moyens pro-
posés tout au cours du livre.

Bonne lecture !

Première partie

Les gestes mentaux :
des outils pour apprendre

Cette première partie, à l'exception du premier chapitre qui rappelle quelques prémisses, est plus théorique. L'objectif visé est d'aider à comprendre les exemples qui se retrouvent dans la suite de l'ouvrage. Cette façon de procéder peut être profitable à tous. En effet, il y a des personnes qui comprennent mieux si on leur fournit des explications théoriques au préalable tandis que d'autres saisissent essentiellement à l'aide d'exemples ; ces dernières auront peut-être intérêt à survoler tout de suite la deuxième partie du livre portant sur les applications, avant même de commencer à lire les bases théoriques. Il pourrait aussi s'avérer utile de lire les rappels à la fin des chapitres de la première partie avant d'entamer leur lecture.

Il faut aussi noter qu'un lexique des concepts traités ici se trouve à la fin de l'ouvrage et que le lecteur est invité à s'y référer.

Chapitre 1

Le parent accompagnateur

L'école est le lieu des apprentissages scolaires. Ce sont les enseignants qui ont la responsabilité de transmettre les connaissances scolaires et les parents n'ont pas à se substituer à eux. Leur engagement auprès des enfants à titre de motivateurs et d'accompagnateurs est toutefois très important pour ces derniers. C'est d'ailleurs à ce titre que nous leur proposons d'intervenir, particulièrement au cours de la période des devoirs et des leçons.

La période des devoirs et des leçons

De nombreux parents, même ceux dont les enfants apprennent bien, éprouvent de la difficulté à vivre de façon harmonieuse la période des devoirs et des leçons. Nous ne nous étendrons pas sur les conditions favorables qui font que la période des devoirs et des leçons se passe bien, car plusieurs auteurs[2] l'ont déjà fait de manière très explicite et complète. Toutefois, nous verrons que la connaissance de certains principes de base de la gestion mentale permet de raffiner nos interventions lors des devoirs et des leçons. En effet, cette pédagogie offre des moyens pour amener notre enfant vers une réussite tout en le respectant et en développant son autonomie et sa responsabilisation.

Avant d'aller plus loin, faisons un petit rappel des principes de base qui sont partagés par plusieurs auteurs et intervenants du milieu. Nous leur joignons quelques éléments essentiels inspirés des questions des parents qui ont participé aux ateliers que nous avons offerts au cours des dernières années.

---

2. Voir la bibliographie, en particulier les ouvrages de Marie-Claude Béliveau.

Les raisons d'être des devoirs et des leçons

Les devoirs et les leçons ont leur raison d'être:

✎ Pour informer les parents des apprentissages que fait leur enfant.

✎ Pour permettre aux parents de constater les progrès et les difficultés que l'enfant rencontre dans les diverses matières.

✎ Pour communiquer avec l'enseignante ou l'enseignant par l'entremise de l'agenda ou d'un cahier de communication. Il ne faut toutefois pas s'en contenter si des difficultés se présentent au cours de la période des devoirs et des leçons. De plus, des rencontres avec l'enseignante sont prévues au cours de l'année et il est toujours possible d'en demander à d'autres moments.

✎ Et, surtout, pour consolider les apprentissages de la journée ou de la semaine. Il ne devrait d'ailleurs pas y avoir d'éléments nouveaux à apprendre au cours de cette période.

Le rôle du parent

✎ Le parent ne doit pas jouer le rôle de pédagogue mais bien d'accompagnateur, car il pourrait aussi créer des confusions dans l'esprit de son enfant avec des méthodes différentes.

✎ Il doit soutenir son enfant avec des encouragements et ne l'aider que s'il a de la difficulté.

✎ L'enfant du premier cycle[3] du primaire a besoin de soutien constant ou presque (organisation de son travail, attention soutenue, etc.).

✎ L'enfant des deuxième et troisième cycles du primaire a besoin qu'on l'amène graduellement vers l'autonomie. Il a toutefois besoin qu'on le supervise à distance, qu'on lui rende visite parfois pendant qu'il travaille et qu'on lui demande ses leçons.

✎ L'adolescent qui fréquente le secondaire peut avoir besoin d'encadrement et il doit sentir que ses parents peuvent l'aider au besoin et selon ses désirs.

✎ Le parent peut exiger un travail propre et une organisation satisfaisante.

✎ Il ne doit pas oublier que les erreurs vont de pair avec l'apprentissage; il lui faut donc réconforter au besoin et encourager en soulignant les réussites, en faisant prendre conscience à l'enfant de ses améliorations, sans jamais le dévaloriser.

Les conditions favorables pour étudier et faire ses devoirs

Le parent a intérêt à discuter avec son enfant des conditions favorables pour étudier et faire ses devoirs.

---

3. Le premier cycle du primaire équivaut à la 1ère et 2e année soit 6 et 7 ans, le deuxième cycle, à la 3e et 4e année soit 8 et 9 ans, et le troisième cycle, à la 5e et la 6e année soit 10 et 11 ans. Le secondaire (du 1e au 5e) correspond aux âges de 12 à 17 ans.

✐ Favoriser un endroit calme (éviter la télévision, la radio et le va-et-vient), confortable et bien éclairé, pas trop loin de votre supervision.

✐ Faire précéder la période des devoirs d'un moment calme, surtout pour ceux qui les font au retour de l'école ou après une activité physique.

✐ Être souple sur l'horaire des devoirs. En effet, ils peuvent se faire au retour de l'école, après le souper, le matin pour les lève-tôt et au cours du week-end lorsque la maisonnée est calme et que l'enfant est reposé. Il n'y a pas de recette, cela dépend de chacun. On doit parfois se donner des temps d'essai.

✐ Ne pas faire durer la période de temps allouée aux devoirs et leçons, ni la bâcler. La durée moyenne pour le primaire devrait être de 30 à 45 minutes par jour.

✐ Informer l'enseignante si la durée excède cette limite. Celle-ci pourra ajuster les devoirs et leçons en conséquence si cet état de fait est généralisé dans la classe. Sinon, il est toujours possible de modifier les attentes envers un enfant en difficulté. En effet, il n'est pas recommandé d'augmenter outre mesure la durée des devoirs et leçons en prétextant que l'enfant a des difficultés d'apprentissage. Celui-ci a aussi besoin de moments de répit, car il doit dépenser plus d'énergie que les autres élèves tout au long de la journée. Il arrive parfois à la maison déjà très fatigué de sa journée.

✐ Prévoir qu'un enfant en difficulté aura sûrement besoin d'une pause au cours de la période consacrée aux devoirs. Il est aussi possible qu'il prenne plus de temps à les terminer. Il ne faut tout de même pas exiger que les devoirs soient terminés à tout prix. Demander plus d'une heure de travail à un enfant est signe qu'il est temps de voir avec l'enseignante si on répond bien à ses exigences et si on peut s'entendre sur ce qui doit être priorisé. On pourra suggérer de diminuer la quantité de devoirs tout en s'assurant que l'enfant révise un peu de tout. Une diminution dans la quantité de mots de vocabulaire à étudier, par exemple, serait un choix judicieux à la condition que l'enseignante et l'enfant s'entendent sur la quantité réaliste à étudier et que l'évaluation en tienne compte. Certains parents ou enseignants craignent que l'enfant profite d'une diminution de tâches pour moins travailler. On peut toutefois avoir confiance dans le jugement de l'enfant, car il désire généralement faire comme les autres et ne pas être traité différemment. Lorsqu'un jeune prend la décision de faire autrement, c'est qu'il connaît ses capacités et ses limites et qu'il est parfois beaucoup plus réaliste que les adultes. On pourra toujours augmenter graduellement le nombre de mots à étudier quand l'enfant aura pris de l'assurance.

✐ Profiter du fait que plusieurs écoles offrent maintenant une supervision pour la période des devoirs et des leçons. Cela permet à beaucoup de familles de moins courir et d'éviter des situations conflictuelles autour de cette période. Toutefois, il demeure important que les parents démontrent tout de même de l'intérêt pour ce qui a été appris pendant la journée ou au cours de la semaine pour réinvestir ces apprentissages dans le quotidien. Sans que cela revête l'aspect d'un contrôle, il y a moyen de vérifier si les devoirs sont bien faits, s'ils sont propres... Vous pouvez offrir votre disponibilité pour lui demander ses leçons.

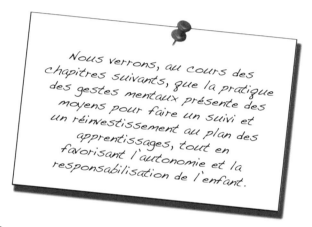

Nous verrons, au cours des chapitres suivants, que la pratique des gestes mentaux présente des moyens pour faire un suivi et un réinvestissement au plan des apprentissages, tout en favorisant l'autonomie et la responsabilisation de l'enfant.

Et s'il refuse de les faire?

- Les devoirs et les leçons sont une responsabilité que l'élève doit assumer. Le parent doit l'aider à la respecter. Ce n'est pas à lui de les faire à sa place. Il doit plutôt, en l'encourageant, l'aider à faire des choix sur le moment opportun pour s'en acquitter, sur les activités qu'il devra peut-être sacrifier ou remettre à plus tard.

- S'il refuse de faire ses devoirs, l'enfant doit s'en remettre à son enseignante d'abord (car c'est bien elle qui donne cette responsabilité; c'est une entente entre l'enseignante et l'élève). On lui enlève ainsi l'occasion de s'opposer directement au parent. Par contre, le parent doit lui donner d'autres responsabilités à la maison; c'est là-dessus qu'il pourra s'opposer, vivre son opposition, normale pour tout enfant, sans affecter les apprentissages.

- Si le problème persiste, il faut rencontrer l'enseignante afin de discuter des moyens adéquats à prendre pour aider l'enfant. Ces moyens peuvent différer énormément d'une famille à l'autre et d'un enfant à l'autre. Ils peuvent prendre la forme de récompenses, d'une adaptation de l'horaire, d'une aide de l'extérieur (celle d'une étudiante du niveau collégial ou universitaire, celle d'une école qui offre une période de devoirs et de leçons encadrée par des gens compétents, d'une consultation avec un spécialiste de l'école, que ce soit un orthopédagogue, un psychologue, etc.). Il arrive parfois que l'on demande à la grande sœur ou au grand frère d'aider. Dans ce cas, il faut s'assurer qu'ils ont la compétence pour le faire; on ne voudrait pas qu'ils fassent les devoirs à la place de l'enfant ou qu'ils ne lui permettent pas d'intégrer la matière en allant trop vite, par exemple. Il faut retenir que, même si l'on a recours à une tierce personne, notre enfant a besoin que ses parents démontrent de l'intérêt pour ce qu'il fait à l'école. On doit donc superviser quand même son travail et s'assurer que tout va bien.

✎ N'oublions pas qu'il n'y a pas de recettes magiques et efficaces pour tous.

Les inquiétudes des parents

N'attendez pas avant de réagir. Si, après la lecture de ce livre et des tentatives d'intervention qui y sont suggérées, vous êtes encore inquiet et que votre enfant semble avoir de la difficulté dans une matière précise ou de manière générale dans ses apprentissages, rencontrez l'enseignant ou l'enseignante pour lui en faire part. Si vous restez insatisfait lorsqu'on tente de vous rassurer, allez chercher les évaluations adéquates qui vous donneront l'heure juste. S'il s'avère que vous faites fausse route, vous serez rassuré et, si l'on découvre certaines lacunes ou difficultés, vous saurez sur quoi travailler. Dans la très grande majorité des cas, les inquiétudes des parents sont fondées, même s'il arrive parfois qu'il s'agisse d'un parent qui avait besoin, pour une raison ou pour une autre, d'être rassuré.

Les comportements révélateurs

Certains comportements rencontrés au cours de la période des devoirs et des leçons se répètent. On peut d'ailleurs les rencontrer aussi dans différentes situations de communication. Ces comportements révèlent la présence de difficultés.

✎ Malgré que vous lui répétiez sans cesse les mêmes explications, votre enfant ne comprend pas.

✎ Il a beau écrire et réécrire ses mots de dictée, il ne les retient pas.

✎ Il connaît bien ses leçons lorsqu'il est à la maison, mais il les oublie au moment du contrôle de la semaine.

✎ Il répond trop vite et se trompe la plupart de temps. On a l'impression qu'il ne veut pas réfléchir.

✎ Votre enfant lit et relit sans cesse la même résolution de problème sans passer à l'action.

✎ Vos explications et vos trucs semblaient pourtant aider un autre de vos enfants, mais ils n'aident pas celui-ci.

✎ Il lit très bien (il décode bien les mots), mais il peine à en faire un rappel ou même à répondre à quelques questions. Il ne semble pas comprendre ce qu'il vient de lire.

✎ Il travaille très fort, il démontre de la bonne volonté, mais il ne réussit pas.

   ✐ Votre enfant ou vous-même croyez que la réussite est une question de don.

   ✐ Vous vous entendez dire : « Mon enfant ne semble pas motivé, il ne fait pas d'effort. »

Portons attention à ce qu'on dit ou à ce qu'on entend

« Il manque de motivation. »

Comme adulte, nous avons tendance à blâmer un enfant pour son manque d'effort ou de motivation. Mais attention de ne pas tirer des conclusions hâtives. Avant de faire un tel diagnostic, assurons-nous que l'enfant sait comment s'y prendre pour mémoriser ou pour comprendre. En effet, il y a deux objets de connaissances : l'objet à connaître, comme les mathématiques ou la géographie, et le geste mental, c'est-à-dire le moyen intrinsèque pour atteindre la connaissance de l'objet. Autrement dit, ce que je dois apprendre et comment je m'y prends pour apprendre.

Il est fréquent de constater que plusieurs élèves ont de la facilité dans une matière tandis qu'ils éprouvent de la difficulté dans une autre. Il est probable que ces élèves pratiquent le geste mental convenablement (le *comment*) dans une matière, mais qu'ils ne pensent pas en faire autant dans l'autre. La prise de conscience de ce qu'il convient de faire pour mener à bien un geste mental lui permettra de transférer ses compétences à des matières ou des domaines d'apprentissage plus difficiles.

La très grande majorité, sinon la totalité, des élèves et des enfants veulent réussir et démontrent une grande motivation. La plupart fournissent beaucoup d'efforts, mais pour certains d'entre eux, ces efforts sont vains.

Francis, 12 ans, dysorthographique (trouble d'apprentissage de l'orthographe d'usage et grammaticale) :

> « Mon plus grand désir est de pouvoir écrire sans erreurs, car ça me gêne qu'on me lise. »

Amélie, 9 ans, doit travailler trois fois plus que ses pairs :

> « Comment se fait-il que mes amis comprennent ce qu'ils lisent du premier coup ? J'ai hâte, moi aussi, de pouvoir lire *Harry Potter*. »

« Quand on veut, on peut ! »

Distinguons l'intérêt de l'attention. Trop souvent on entend dire que tel enfant n'est pas attentif parce qu'il n'est pas intéressé ou parce qu'il ne fait pas d'effort. Pourtant, il existe bien des gens qui, malgré un grand intérêt pour une activité quelconque, ont de la difficulté à demeurer attentifs. Contrairement à l'idée reçue, ce n'est pas toujours parce qu'on veut qu'on peut, pas plus que c'est parce qu'on peut qu'on veut.

« Allez, vas-y ! Tu verras, c'est facile ! »

En voulant, en toute bonne foi, encourager son enfant, on vient de lui dire que s'il réussit, c'est parce que c'était facile. Il n'a donc aucun mérite. Imaginons comment il se sentira s'il ne réussit pas une chose qu'on a qualifiée de facile !

« Sois attentif mon garçon. Mais réfléchis un peu ! Ça fait quatre fois que je te l'explique et tu ne comprends pas encore ! »

Ces directives et ces remarques sont fréquentes. L'enfant à qui elles s'adressent pourrait répondre : « Oui, mais comment faire pour être attentif, pour comprendre ? » Et il serait en droit d'avoir des réponses. Toutefois, bien peu sont en mesure de les donner, de parler des moyens cognitifs que l'on doit mettre en branle pour favoriser les apprentissages.

On prend trop souvent pour acquis que les concepts comme l'*attention*, la *compréhension* et la *réflexion* vont de soi. Or, il n'en est rien.

« Tu n'as qu'à travailler plus fort. Fais plus d'exercices. »

Il ne s'agit pas d'augmenter la quantité de travail, de refaire sans cesse les mêmes exercices pour mieux réussir. Il importe plutôt de faire autrement en prenant conscience de l'évocation[4] et en pratiquant les bons gestes mentaux.

Il y a des gestes à accomplir pour accéder à la connaissance. Antoine de La Garanderie les a nommés *gestes mentaux*. On en répertorie cinq :

- le geste d'attention ;
- le geste de mémorisation ;
- le geste de compréhension ;
- le geste de réflexion ;
- le geste de l'imagination créatrice.

Pour l'instant, nous nous occuperons essentiellement des gestes d'attention et de mémorisation. Quant aux gestes de compréhension et de réflexion, ils sont abordés dans les exemples fournis et les activités d'apprentissage de la deuxième partie. Voyons d'abord la différence entre les gestes physiques et les gestes mentaux.

Les gestes physiques et les gestes mentaux

Personne n'oserait suggérer à un enfant de descendre une pente en planche à neige sans lui avoir montré et expliqué au préalable les gestes physiques requis : transfert du poids, augmentation et ralentissement de la vitesse en dépliant et en pliant les genoux, corps face au bas de la

---

4. **Évocation** : ce qu'on voit (images visuelles concrètes ou abstraites), ce qu'on entend ou ce qu'on se dit (des mots, des phrases ou des sons) dans sa tête. C'est notre cinéma ou notre narration intérieure. Nous voyons ce concept plus en détail dès le chapitre 2.

pente. Pas plus qu'on lui achèterait une guitare sans prévoir des cours ou une méthode d'autoapprentissage qui lui permettrait de bien tenir sa guitare, de bien poser ses doigts, etc. On parle ici de description de gestes physiques.

Il en va de même pour ce qu'on doit faire afin d'être attentif, pour mémoriser, pour comprendre, pour réfléchir et pour imaginer. Nous devons prendre conscience et apprendre à faire convenablement ces gestes (qu'on appelle mentaux puisqu'ils se passent dans notre tête) pour optimiser nos apprentissages. Comme on le fait avec les gestes physiques afin de mieux les maîtriser, on peut décrire les gestes mentaux afin d'accroître leur efficacité. Une fois les techniques bien maîtrisées, on peut développer son style et avoir plus de plaisir.

Votre enfant est différent des autres et probablement de vous-même

Nous possédons chacun des habitudes personnelles pour comprendre les êtres et les choses qui nous entourent. Si vous avez plus d'un enfant, vous avez certainement remarqué qu'ayant plus de facilité à communiquer avec l'un ou l'autre de vos enfants, vous avez aussi plus de facilité à l'aider. Cela est tout à fait normal. Ainsi, une explication s'avérant efficace à vos yeux pourra l'être pour l'un de vos enfants, mais pas pour l'autre.

Les intuitions des parents

Beaucoup de parents ont une intuition juste pour amener leur enfant à être attentif, à réfléchir, à *apprendre à apprendre*. Ce livre a notamment comme but de leur donner les mots qui les amèneront à prendre conscience de cette force, à prendre de l'assurance et, par le fait même, à améliorer leur intervention auprès de leur enfant.

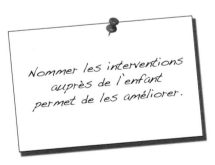

Nommer les interventions auprès de l'enfant permet de les améliorer.

Chapitre 2

Notions de base

*Je me rends compte que parler de mon fonctionnement mental
me le rend plus clair et me soulage. Ça fait du bien.*
Chloé

Distinguons l'objet de perception de l'évocation

Il est essentiel de s'entendre dès le départ sur les définitions et concepts.
Le premier concept à saisir clairement est celui de l'**évocation**, car *sans
évocation, il n'y a pas d'apprentissage.* En effet, toute connaissance doit
nécessairement, d'une manière ou d'une autre, passer par le monde de
l'évocation. Alors, qu'est-ce au juste que ce monde de l'évocation ?

Perception visuelle

Nous avons cinq sens avec lesquels nous percevons les êtres et les choses
qui nous entourent : la vue, l'ouïe, le toucher, l'odorat et le goût.
Prenons, à titre d'exemple, trois personnes qui regardent la même photo
d'une maison de campagne. On dit qu'elles sont en perception visuelle.
Elles voient la même maison avec les mêmes volets, le même toit, les
mêmes fleurs, etc. Toutefois, chacune de ces personnes a ses propres
évocations de ce qui lui est présenté en perception visuelle. On entend par
évocation une représentation mentale de ce dont nous prenons connaissance d'abord par la **perception**.

Pour les uns, la vue de cette maison fait naître
une image mentale (« dans sa tête », comme on dit
familièrement ou aux enfants) qui prend une forme
visuelle : la maison est comme une peinture, la
maison est identique à la photo, la maison a d'autres
couleurs, etc.

> C'est une
> évocation visuelle

Pour d'autres, elle prend une forme auditive
(entendre mentalement la voix d'un enseignant qui
décrit le style de la maison, le type de construction, etc.) ou une forme verbale (se décrire la maison dans ses propres mots et avec sa propre
voix, etc.).

> C'est une
> évocation auditive
> ou verbale

Pour d'autres encore, elle prendra davantage une forme kinesthésique (sensations émotionnelles et physiques : odorat, toucher, goût et mouvement) : le souvenir d'une odeur reliée à une maison de campagne, par exemple (voir à ce sujet la note en page 41).

> C'est une « évocation kinesthésique »

Les objets de **perception** sont à l'extérieur de nous, ils sont de nature physique, tandis que les **évocations** sont des représentations « dans notre tête », c'est-à-dire qu'elles sont de nature mentale.

Perception auditive

Il en est de même pour une **perception auditive**. Par exemple, l'écoute d'un morceau de musique joué au piano peut faire émerger des évocations visuelles, auditives, verbales ou « kinesthésiques » (sensations émotionnelles et physiques : odorat, toucher, goût et mouvements) chez les uns et chez les autres.

> Ce sont des évocations

Des auditeurs évoqueront l'image d'une portée de musique ou inventeront une scène concrète avec des personnages qui dansent sur la mélodie tandis que d'autres, aux évocations plus auditives, peuvent réentendre les notes telles qu'elles sont dans leur esprit ; les auditeurs aux évocations plus verbales peuvent se faire des commentaires sur ce que représente pour eux telle partie de la mélodie, se raconter l'histoire à laquelle cette mélodie leur fait penser, etc. Enfin, une « évocation plus kinesthésique » consistera en un sentiment de tristesse ou de joie relié à cette même musique, ou se traduira par l'évocation d'un pas de danse.

Perceptions kinesthésiques

Les perceptions du **toucher, du goût et de l'odorat** peuvent aussi, quant à elles, faire émerger des évocations auditives, visuelles ou « kinesthésiques ». Ainsi, toucher un morceau de tissu peut faire apparaître l'évocation visuelle d'une robe, l'évocation auditive du frottement du tissu, une évocation verbale de la description du tissu ou l'« évocation kinesthésique » de la douceur du tissu au contact de la peau.

L'odeur du poisson peut provoquer une évocation visuelle des mouettes sur le bord de la mer, une évocation auditive des cris de mouettes, une évocation verbale de l'appréciation ou non du poisson ou une « évocation kinesthésique » de l'odeur du poisson.

Enfin, le goût d'un mets de sa région natale peut susciter l'évocation visuelle du paysage de sa région, l'évocation auditive de la voix de sa mère qui cuisinait ce mets, l'évocation verbale (par son propre récit des souvenirs reliés à ce mets) ou l'« évocation kinesthésique » d'un sentiment nostalgique ou de la saveur.

Reprenons ces exemples sous la forme d'un tableau.

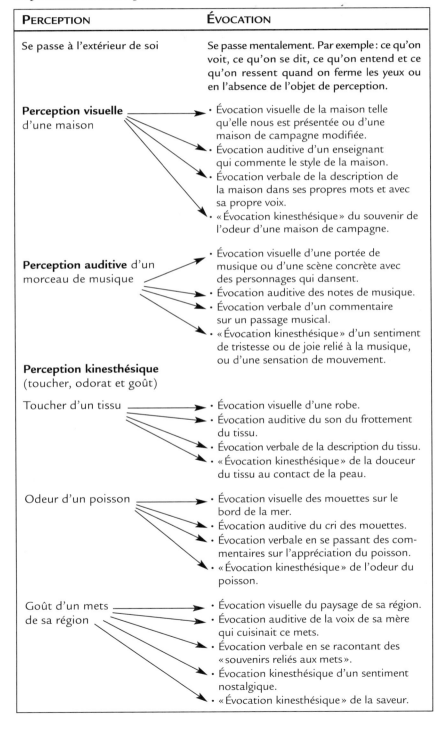

PERCEPTION	ÉVOCATION
Se passe à l'extérieur de soi	Se passe mentalement. Par exemple : ce qu'on voit, ce qu'on se dit, ce qu'on entend et ce qu'on ressent quand on ferme les yeux ou en l'absence de l'objet de perception.
Perception visuelle d'une maison	• Évocation visuelle de la maison telle qu'elle nous est présentée ou d'une maison de campagne modifiée. • Évocation auditive d'un enseignant qui commente le style de la maison. • Évocation verbale de la description de la maison dans ses propres mots et avec sa propre voix. • « Évocation kinesthésique » du souvenir de l'odeur d'une maison de campagne.
Perception auditive d'un morceau de musique	• Évocation visuelle d'une portée de musique ou d'une scène concrète avec des personnages qui dansent. • Évocation auditive des notes de musique. • Évocation verbale d'un commentaire sur un passage musical. • « Évocation kinesthésique » d'un sentiment de tristesse ou de joie relié à la musique, ou d'une sensation de mouvement.
Perception kinesthésique (toucher, odorat et goût)	
Toucher d'un tissu	• Évocation visuelle d'une robe. • Évocation auditive du son du frottement du tissu. • Évocation verbale de la description du tissu. • « Évocation kinesthésique » de la douceur du tissu au contact de la peau.
Odeur d'un poisson	• Évocation visuelle des mouettes sur le bord de la mer. • Évocation auditive du cri des mouettes. • Évocation verbale en se passant des commentaires sur l'appréciation du poisson. • « Évocation kinesthésique » de l'odeur du poisson.
Goût d'un mets de sa région	• Évocation visuelle du paysage de sa région. • Évocation auditive de la voix de sa mère qui cuisinait ce mets. • Évocation verbale en se racontant des « souvenirs reliés aux mets ». • Évocation kinesthésique d'un sentiment nostalgique. • « Évocation kinesthésique » de la saveur.

L'évocation ne se fait pas automatiquement au simple contact d'un objet de perception car la personne doit se mobiliser mentalement pour produire des évocations en lien avec ce qu'elle perçoit.

Voici maintenant une autre façon d'expliquer les concepts de **perception** et d'**évocation**. En lisant ce livre, vous êtes en perception visuelle, car vous voyez les lettres et la couleur du papier. Portez attention à ce que vous entendez autour de vous. La radio ou la télévision dans l'autre pièce ? Le tic-tac de l'horloge ? Que sentez-vous ? Sentez-vous l'odeur du café ou du repas qu'on prépare ? Êtes-vous assis sur une chaise dure ou sur un matelas mou ? Vous voilà en **perception** visuelle, auditive et kinesthésique.

Vous êtes en perception

Imaginez-vous maintenant au bord de la mer. Qu'est-ce qui vous vient en tête ? Prenez quelques secondes pour y penser.

Pause évocation

Des images de la mer ? Le bruit des vagues ? Vous vous passez des commentaires ? L'odeur du varech vous revient ? Votre réponse est un rappel de votre **évocation** de la mer en ce moment. Elle est visuelle, auditive, verbale ou kinesthésique. Elle est de nature mentale et non physique, car vous n'êtes pas à la mer en ce moment. Vous n'êtes pas en perception de la mer. À moins, évidemment, que vous soyez en train de lire ce livre assis les deux pieds dans le sable sur le bord de la mer, où vous seriez en train de construire vos évocations !

Donc, ce que nous percevons demeure à l'extérieur de nous. Ce que nous évoquons émerge de l'intérieur de nous et son contenu dépend du *projet de sens* de chacun et des intentions que l'on a pour cette même évocation. Est-ce dans le but de la conserver pour un moment ultérieur et précis ? Pour la comparer avec d'autres évocations similaires ? Je mémorise, par exemple, mon évocation d'une maison pour la comparer à d'autres maisons ou pour m'en inspirer afin d'apporter certaines modifications à ma propre maison, etc.

Malgré l'importance des « évocations kinesthésiques », nous traiterons essentiellement des évocations visuelles, auditives et verbales étant donné qu'elles sont de loin les plus sollicitées dans le contexte scolaire. Et cela, nonobstant la nature de la perception, qu'elle soit visuelle, auditive ou kinesthésique.

Mentionnons, au passage, que les personnes qui produisent des « évocations kinesthésiques » auront nécessairement besoin de les prolonger en évocations visuelles, auditives ou verbales afin qu'elles soient transférables.

PETIT EXERCICE

Concentrons-nous sur un exercice permettant de mieux voir la différence entre la perception et l'évocation.

Regardez les images au bas de cet encadré avec le projet:
· de les voir;
· de les entendre (avec une autre voix que la vôtre ou un son, un bruit représentant l'objet); **ou**
· de les redire (avec votre propre voix)...

...mentalement. Pour ce faire, vous devez évidemment porter votre regard sur les images (présentées en perception visuelle) mais aussi, et *surtout*, quitter les images du regard afin qu'elles vivent en vous. Pour certains, ce sera en fermant les yeux, pour d'autres, en fixant un endroit dans la pièce.

Faites cet exercice avec un autre adulte ou avec vos enfants; cela vous permettra de constater les différentes habitudes mentales de chacun.

Maintenant, prenez le temps de regarder ces images avec le projet de les faire vivre mentalement, de les évoquer. N'oubliez pas de cesser de les regarder afin qu'elles ne soient plus en perception visuelle, mais bien évoquées.

  maison

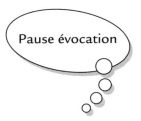

Si vous les voyez mentalement, nous parlerons d'une *évocation visuelle*. Si vous vous les décrivez, nous parlerons d'une *évocation verbale*, et si vous entendez leur description ou leur son, nous parlerons d'une *évocation auditive*.

Quelles formes d'évocation avez-vous construites dans votre tête?

Prenez le temps de trouver vos évocations et tentez de les analyser selon les concepts de base que nous venons d'aborder. Encore une fois, il est toujours intéressant de faire ces expériences avec une autre personne et de comparer vos formes d'évocation; cela permet de constater le fonctionnement mental singulier de chacun.

DESCRIPTION DES ÉVOCATIONS	**ANALYSE DES FORMES D'ÉVOCATION**
Voici quelques exemples.	
Image 1	Évocation visuelle
Je me vois avec mon chat dans les bras.	
Image 2	Évocation auditive
J'entends des notes de piano.	
Image 3	Évocation visuelle et évocation verbale
maison — Je revois une vraie maison et je me parle des changements que j'y apporterais.	
Image 4	Évocation verbale
Je me dis que c'est un visage composé de formes géométriques et je me passe le commentaire que le parallélogramme forme une bouche d'allure méchante.	

Sur une feuille ou dans un cahier, décrivez vos évocations et analysez-les.

Les catégories d'évocation

Les évocations visuelles et auditives se divisent en deux catégories chacune. Nous disons qu'une évocation est *visuelle* lorsque le sujet reprend telle quelle, comme une photo, la perception de l'image du chat représenté dans l'encadré.

D'autres transforment l'image en une évocation qui représente un objet connu. C'est ce qu'on appelle une évocation *autovisuelle*. Par exemple, au lieu de voir le dessin du chat, on pourrait voir notre propre chat dans notre salon. Une évocation *autovisuelle* peut aussi signifier que le sujet se voit partie prenante de son évocation : il se voit avec son chat.

Malgré les objets présentés ici sous forme visuelle (un encadré de dessins représentant des éléments familiers), certaines personnes transforment ces images en évocations *auditives*; elles *entendent une autre voix*, comme celle d'un raconteur qui en fait la description. Une évocation auditive peut aussi prendre la forme d'un bruit, tel le miaulement du chat.

D'autres personnes transforment l'objet de perception en évocations qu'on nomme *verbales*, car elles *s'entendent* décrire les images ou détailler leur emplacement les unes par rapport aux autres.

Nous retrouvons ainsi différentes catégories d'évocation : les évocations visuelles et autovisuelles et les évocations auditives et verbales.

Pour mieux saisir la différence entre ces catégories d'évocation, prenons l'analogie suivante. On considère l'évocation visuelle comme une situation où le sujet est spectateur de son film intérieur, et l'évocation autovisuelle lorsqu'il est acteur de celui-ci. Le sujet qui se construit une évocation auditive est l'auditeur de son émission de radio interne, ou le narrateur de sa cassette s'il favorise l'évocation verbale.

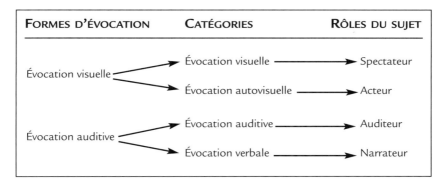

FORMES D'ÉVOCATION	CATÉGORIES	RÔLES DU SUJET
Évocation visuelle	Évocation visuelle	Spectateur
	Évocation autovisuelle	Acteur
Évocation auditive	Évocation auditive	Auditeur
	Évocation verbale	Narrateur

Le spectateur et l'auditeur témoignent, reproduisent. L'acteur et le narrateur agissent, transforment.

La distinction entre ces catégories d'évocation nous permet d'intervenir, entre autres, auprès des enfants qui sont aux prises avec un certain blocage ou, au contraire, avec une impulsivité dans leur façon de résoudre des problèmes. Nous qualifions ce blocage d'*émotion paralysante* et cette impulsivité d'*émotion précipitante*. Elles sont expliquées au chapitre suivant dans les causes possibles des échecs et des difficultés d'attention.

Afin de ne pas alourdir inutilement le texte, notez que la distinction visuelle/autovisuelle ne sera faite qu'au besoin, selon les notions et les exemples qui seront vus au cours du livre. Autrement, nous parlerons essentiellement des trois catégories d'évocation principales : visuelles, auditives et verbales.

Complétez l'analyse de vos évocations faites en page 30 en spécifiant les catégories d'évocation.

DESCRIPTION DES ÉVOCATIONS	ANALYSE DES ÉVOCATIONS
Image 1 Je me vois avec mon chat dans les bras.	Évocation autovisuelle, car je transforme l'image dans l'encadré en image de moi avec mon chat.
Image 2 J'entends des notes de piano.	Évocation auditive, car je témoigne, j'entends quelqu'un jouer du piano.
Image 3 Je revois une vraie maison et je me parle de changements que j'y apporterais.	Évocation visuelle et évocation verbale, car c'est comme une photo et que je me parle, ce sont ma voix et mes mots.
Image 4 Je me dis que c'est un visage composé de formes géométriques et je me passe le commentaire que le parallélogramme forme une bouche méchante.	Évocations verbales, car je me décris l'image dans mes mots et je me passe des commentaires.

Comme il est indiqué à la page 30, décrivez vos évocations et analysez-les de manière plus détaillée.

De nombreuses personnes remarqueront qu'elles se font à la fois des évocations visuelles (ou autovisuelles) et auditives (ou verbales). On dit d'elles qu'elles ont des *évocations mixtes*. Toutefois, en prenant le temps de s'analyser un peu plus, on peut faire ressortir une dominance, visuelle ou auditive. La dominance est la première évocation. Les autres en sont le prolongement.

On peut donc, après avoir vu (en perception) l'image du chat, se redire le mot chat (évocation verbale) pour ensuite le voir mentalement (évocation visuelle) ou, au contraire, revoir le chat (évocation visuelle) pour ensuite se dire le mot (évocation verbale).

Le même phénomène est possible si la perception est auditive. Après avoir entendu le mot *maison* (perception auditive) par exemple, on peut réentendre (évocation auditive) ce même mot pour ensuite le voir mentalement (évocation visuelle) ou bien, suite à la perception auditive du mot, s'en faire une image (évocation visuelle) d'abord pour ensuite l'entendre mentalement (évocation auditive).

Reprenons ces exemples sous forme de tableaux.

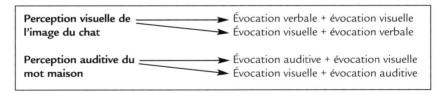

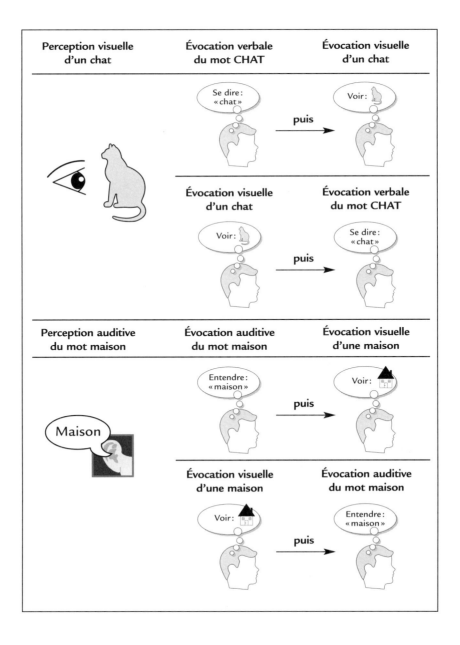

Le contenu des évocations

Antoine de La Garanderie a distingué, lors de ses nombreux dialogues pédagogiques[5], quatre catégories qui décrivent le contenu des évocations.

Pour chacun des types d'évocation (auditive/verbale et visuelle/auto-visuelle), on peut retrouver un contenu différent.

- Les évocations du concret, du quotidien (objets, personnes, scènes, conversations, etc.).
- Les évocations automatisées, les apprentissages simples (symboles, mots, chiffres, etc.).
- Les évocations de l'abstrait, les apprentissages complexes (schémas, catégories, relations, rapports, liens logiques, analogies, règles, etc.).
- Les évocations de l'inédit, l'imagination (inventions, découvertes).

Avant d'aller plus loin, pensez au mot château quelques instants, prenez conscience de vos évocations et notez-les sur une feuille. Nous y reviendrons plus loin.

Pause évocation

L'intérêt de distinguer les différents contenus possibles d'une évocation réside dans les choix de ceux-ci selon le besoin de l'activité. Par exemple, si on demande d'évoquer le mot *château*, le contenu diffère si on se retrouve dans un cours d'arts plastiques ou au moment d'une dictée. En effet, au cours de la dictée, lorsque l'enseignant prononce le mot *château*, l'enfant a un problème s'il ne voit que l'image d'un château. En aucun temps, cette image ne lui fournit l'orthographe du mot. Toutefois, cette image lui est d'un grand secours lorsqu'il a à dessiner un château au cours de la période des arts plastiques.

La pratique des gestes mentaux n'est donc pas une simple question d'évocation visuelle ou auditive. Elle est aussi la prise en compte du projet de sens (des intentions que l'on a pour notre évocation) selon l'exigence spécifique de la tâche : mémorisation, compréhension, réflexion ou imagination.

Le tableau suivant illustre de manière **non exhaustive** des exemples de contenu évocatif suite à la perception auditive ou visuelle du mot château.

---

5. Les dialogues pédagogiques sont des entretiens qui visent essentiellement à faire ressortir le fonctionnement mental de la personne, à élaborer des hypothèses de fonctionnement et à faire des propositions méthodologiques en fonction de la pédagogie de la gestion mentale.

Petit rappel : une évocation se passe mentalement.

ÉVOCATIONS AUDITIVES/VERBALES

CONCRET
- S'entendre décrire un **CHÂTEAU**.
- Entendre le son des canons.

AUTOMATISMES, SYMBOLES
- Entendre l'épellation ou épeler le mot **CHÂTEAU**.

ABSTRAIT, COMPLEXE
- Entendre ou se dire un commentaire sur une particularité orthographique du mot **CHÂTEAU**. « L'accent circonflexe me rappelle les toits des tours des châteaux » ou « La plupart des mots à deux syllabes qui se terminent par le son [o] s'écrivent/eau/. »
- Entendre ou se dire les différentes époques des **CHÂTEAUX**.

INÉDIT, IMAGINATION
- Entendre ou se parler de la transformation d'un **CHÂTEAU**.
- S'inventer une histoire sur un **CHÂTEAU**.
- Inventer une histoire pour se rappeler de l'orthographe du mot **CHÂTEAU** : « Dans mon château, tous les chats boivent de l'eau avec un chapeau (qui me fait penser à la graphique/eau/et à l'accent circonflexe). »

ÉVOCATIONS VISUELLES

CONCRET
- Voir un **CHÂTEAU**.

AUTOMATISMES, SYMBOLES
- Voir les lettres du mot **CHÂTEAU**.

ABSTRAIT, COMPLEXE
- Voir la comparaison visuelle de l'accent circonflexe et d'un toit de **CHÂTEAU**.
- Voir la représentation globale des différentes époques des châteaux sous forme de tableau, schémas, etc.

INÉDIT, IMAGINATION
- Voir une image inédite représentant un **CHÂTEAU**.

L'exemple qui suit allie les évocations symboliques (lettres) et les évocations inédites avec le projet de mémoriser l'orthographe du mot *château*.

On constate les différentes formes que peuvent prendre les évocations suite à la simple prononciation ou à la lecture du mot château. Il faut porter attention au contenu de notre évocation selon l'utilisation qu'on en fait, autrement dit, selon son projet.

Tentez maintenant d'analyser les évocations que vous avez construites plus tôt en page 35 autour du mot *château* à la lumière du tableau suivant.

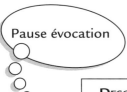

Pause évocation

DESCRIPTION DES ÉVOCATIONS	ANALYSE DES ÉVOCATIONS ET DE LEUR CONTENU
Voici quelques exemples.	
Je vois, mentalement, un château que j'ai visité.	**Évocation visuelle concrète**
Je fredonne, mentalement, une chanson que j'invente contenant le mot château.	**Évocation verbale inédite (inventée)**
Sur une feuille ou dans un cahier, décrivez vos évocations et analysez-les.	

La prise de conscience de l'existence de ces différentes catégories (visuelle, autovisuelle, auditive, verbale) et contenus évocatifs permet de les utiliser et de mieux les maîtriser.

À titre d'exercices, voici d'autres exemples de description de l'évocation que vous pouvez analyser. Ces exemples d'évocation font référence à l'exercice précédent en page 35. Vous retrouverez les analyses à la fin du présent chapitre.

DESCRIPTION DES ÉVOCATIONS	ANALYSE DES ÉVOCATIONS ET DE LEUR CONTENU
Mentalement.	
Je vois le mot chat écrit sur un tableau.	
Je me dis que ça ressemble à un visage composé de différentes formes géométriques simples sauf pour le nez : un grand carré, deux triangles, un angle et un parallélogramme.	
Je me vois en train de jouer de la flûte traversière devant un grand auditoire.	
J'entends quelqu'un me raconter une histoire qui me permet de me rappeler chacune des images et leur emplacement dans l'encadré.	
Sur une feuille ou dans un cahier, décrivez vos évocations et analysez-les.	

Le projet de sens

Mentionnons d'abord que le terme « projet » n'est pas abordé dans le sens d'avoir des projets de vacances, des projets de carrière ou des projets pour la journée. On en parle plutôt sur le plan mental, sur le plan de l'évocation.

Le projet (*se projeter vers*) implique une finalité, un but à atteindre, et aussi une manière de s'y prendre pour l'atteindre qui a un **sens** pour soi. La signification du mot **sens** est à prendre dans son « double sens », soit celui de la direction ou de l'orientation et celui de la signification.

Le projet de sens est donc la direction mentale que l'on donne à nos évocations par la mise en œuvre des gestes mentaux (attention, mémorisation, compréhension, etc.) à accomplir selon la tâche. Il dirige, donne un itinéraire et structure les gestes mentaux.

Autrement dit, *se mettre en projet de…* signifie avoir des intentions, un but pour nos évocations. Cela signifie aussi mobiliser les outils mentaux (les moyens nécessaires) pour y parvenir.

Lorsqu'on suggère à un enfant de se mettre en projet, on doit d'abord s'assurer qu'il a bien en tête le but et les façons mentales d'y parvenir. Un enfant motivé perd sa motivation si le but à atteindre ou les moyens mentaux ne sont pas clairement énoncés et évoqués. Il se lance vers l'objectif sans prendre en compte les moyens et se casse la figure à chaque fois. Ou il tourne en rond sans jamais atteindre son but. Un autre enfant non motivé découvrira une motivation grâce à l'évocation de l'objectif et des moyens mentaux pour y parvenir. Il leur donnera du sens.

Être en **projet d'attention**[6] veut dire qu'**avant** de voir ou d'entendre, il faut se préparer à se représenter, à évoquer ce qui nous sera montré ou dit. Ce *voir* et ce *entendre* deviendront le *regarder* et l'*écouter*. Voici un exemple.

Mère :

> « Francis, va te préparer, nous quittons dans quinze minutes. »
> Cinq minutes plus tard, Francis n'a pas commencé à se préparer.

Mère :

> « Francis, va te préparer, nous devons partir bientôt. »
> Un peu plus tard…

Mère :

> « Francis, nous allons être en retard, va te préparer. »

Combien de parents doivent sans cesse répéter à leur enfant les consignes de la vie de tous les jours ! Regardons comment, dans le même contexte, la prise en compte de la mise en projet et des évocations favorise l'attention de l'enfant.

---

6. Le geste d'attention est traité plus en détail au chapitre 3.

Mère:

«Viens près de moi, j'ai à te parler.»

L'enfant arrive.

Mère:

«Nous quittons dans quinze minutes, j'aimerais que tu te prépares à partir. Prends quelques instants pour t'imaginer en train de te préparer afin que tu sois prêt à temps.»

Quelques secondes de pause évocation.

Mère:

«Ça y est?»

Enfant:

«Oui.»

Mère:

«Redis-moi ce que tu as vu (ou entendu ou dit) dans ta tête.»

Très vite, l'adulte n'aura plus besoin de demander à son enfant de décrire ses évocations, car l'enfant aura pris l'habitude d'évoquer lorsqu'on l'invite à le faire puis, éventuellement, il évoquera sans qu'on l'y incite.

Francis (ayant une dominance verbale):

«Je me suis dit tout ce que j'ai à apporter et que je dois mettre mon manteau parce qu'il fait froid.»

S'il avait une dominance auditive, il aurait entendu une autre voix lui dire quoi faire. Un autre enfant, ayant une dominance plutôt visuelle, aurait pu répondre: «Je me suis vu en train de m'habiller et de ramasser mes choses. Puis, je me suis vu prêt avec mon manteau sur le dos.»

Mère:

«Voilà, très bien. Tu sais ce que tu as à faire maintenant.»

Certains enfants ont besoin qu'on ait un contact visuel avec eux et parfois même physique (les prendre dans nos bras, leur prendre la main).

Voici un exemple d'un projet de mémorisation.

Lise (adulte) partage, avec sa famille, un petit chalet sur le bord d'un lac perdu dans les bois. Comme elle n'y va qu'une fois par année, elle n'a pas mémorisé le chemin pour s'y rendre. D'autant plus que plusieurs kilomètres se font sur des routes de terre et sans indication. C'est après s'être trompée à quelques reprises qu'elle décide de trouver une façon pour se rappeler du chemin.

José:

«Comment comptes-tu t'y prendre?»

Lise:

«Je vais me dire les étapes à partir des endroits où je me trompe toujours.»

José:

«Te fais-tu aussi une image mentale de ces endroits?»

Lise :

> « Oui, oui… Hum, mais elles ne sont pas claires. Je dois me les décrire. Et si je me les décris, ça me permet d'avoir les mots pour l'expliquer à quelqu'un d'autre qui voudrait, un jour, venir au chalet. »

José :

> « Est-ce que le fait de te mettre en projet d'explication te permet de mieux comprendre le chemin pour ensuite le mémoriser ou est-ce le projet de refaire le trajet qui t'aide ? »

Lise :

> « C'est celui de m'imaginer l'expliquer qui me semble le plus clair. »

Le projet de sens de mémorisation[7], qui implique un projet d'avenir, prend ici la forme d'une explication éventuelle à fournir à une tierce personne. C'est ce qui donne le sens (direction et signification) aux évocations de mémorisation de Lise.

Voici un exemple où le projet de sens (la finalité et les moyens) s'articule en fonction de la motivation de chacun, car la finalité (le but) n'est pas énoncée clairement par l'enseignante.

Prenons trois élèves à qui on a demandé d'apprendre un poème pour le lundi suivant. Il y a Mathilde qui rêve d'être une actrice. Pour elle, apprendre un poème veut nécessairement dire être en mesure de le réciter par cœur devant la classe et avec les intonations aux bons endroits. Elle pratiquera le geste de mémorisation avec l'intention de rester fidèle aux mots du texte. C'est ce qui, pour elle, a du sens. Son projet de sens est porté par la motivation de devenir actrice, par la finalité de réciter le poème tel quel et par les moyens mentaux ou les stratégies mentales (du geste de mémorisation) qu'elle utilisera pour y parvenir.

Antoine, pour sa part, cherche toujours à comprendre les choses et les compare entre elles. Il fera vivre le poème mentalement en imaginant des scènes concrètes, l'histoire du poème en quelque sorte, puis il le comparera à un autre poème ou à une autre lecture sur le même thème. C'est ce qui a du sens pour lui.

Enfin, Alexandre adore la sonorité des mots et aime composer ses propres poèmes. La lecture de ce poème l'inspire pour en écrire un autre.

Nos trois élèves ont apprécié le poème et ont travaillé fort. Toutefois le lundi, jour de test, l'enseignante demande aux élèves d'écrire le poème tel quel dans leur cahier de contrôle. On reprochera à Mathilde de faire des fautes d'orthographe et aux deux garçons de ne pas l'avoir étudié. On ne se surprendra pas de voir ces élèves perdre de leur motivation. Il aurait été souhaitable qu'on soit plus clair quant à la finalité, le but de la tâche et qu'on ait pris le temps pour discuter des moyens et des stratégies nécessaires afin d'y parvenir.

---

7. Le geste de mémorisation sera traité plus en détail au chapitre 4.

Le projet de sens schématisé

Le projet de sens est l'orientation que l'on donne à nos évocations en fonction des gestes mentaux à accomplir et en fonction de ce qui nous anime.

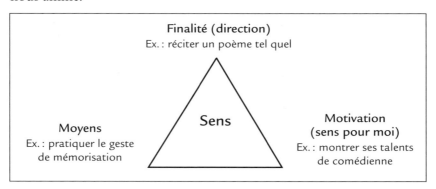

Finalité (direction)
Ex. : réciter un poème tel quel

Sens

Moyens
Ex. : pratiquer le geste
de mémorisation

Motivation
(sens pour moi)
Ex. : montrer ses talents
de comédienne

RAPPEL

✓ Vous venez de voir les concepts de base qui vous seront utiles au cours de la lecture des chapitres suivants. Prenez le temps de faire le point en tentant de vous rappeler l'essentiel de ces concepts sans avoir recours aux pages précédentes. Vous pourrez, par la suite, confronter votre souvenir des concepts au lexique qui se trouve à la fin du livre.

✓ Voici quelques questions qui pourront vous aider à revenir sur votre compréhension.

· Quelle est la différence entre la perception et l'évocation ?

· Qu'est-ce qu'une évocation visuelle, une évocation autovisuelle, une évocation auditive et une évocation verbale ?

· Quels sont les quatre contenus possibles qui décrivent des évocations ?

· Pouvez-vous vous en donner une explication ou un exemple ?

· Qu'entend-on par « projet de sens » ? Ou, quelles sont les conditions pour être en projet de sens ?

✓ C'est au plan des évocations que l'on doit travailler et ce sont ces dernières qui favorisent l'apprentissage et le transfert des connaissances.

Nous venons de voir les moyens qui nous sont nécessaires pour passer à l'acte d'attention et à celui de la mémorisation. Chacun de ces deux gestes mentaux comporte son propre projet de sens. En être avisé permet à la personne de se demander si elle fait le travail nécessaire pour être attentive et pour mémoriser le contenu qui l'intéresse. Les prochains chapitres traiteront donc de chacun de ces deux projets de sens.

Voici, tel que prévu, les analyses des évocations en fonction de leurs descriptions données en page 36.

DESCRIPTION DES ÉVOCATIONS	ANALYSE DES ÉVOCATIONS
1. Je vois le mot chat écrit sur un tableau.	1. Évocation visuelle automatisée (les lettres font partie des symboles qui sont automatisés).
2. Je me dis que ça ressemble à un visage composé de différentes formes géométriques simples sauf pour le nez: un grand carré, deux triangles, un angle et un parallélogramme.	2. Évocations verbales complexes (catégories et comparaisons) et évocations verbales de symboles (les mots).
3. Je me vois en train de jouer de la flûte traversière devant un grand auditoire.	3. Évocation autovisuelle, concrète dans un contexte imaginaire.
4. J'entends quelqu'un me raconter une histoire qui me permet de me rappeler chacune des images et leur emplacement dans l'encadré.	4. Évocation auditive inédite.

Note pour ceux qui s'intéressent particulièrement à la théorie et aux recherches d'Antoine de La Garanderie.

M. de La Garanderie distingue autrement ce qu'on nomme ici comme étant des « évocations kinesthésiques » (on gardera, d'ailleurs, ces termes entre guillemets par souci de rigueur). En effet, il les traite plutôt comme des prolongements de la perception qui peuvent générer des évocations visuelles, auditives et verbales. De plus, il n'y inclut pas les sensations émotives ni les mouvements qu'il aborde autrement. Mentionnons, toutefois, que ses récentes recherches mettent en lumière l'importance des impressions tactiles chez plusieurs personnes sans toutefois leur donner le statut d'évocation. De notre côté, afin de ne pas alourdir la lecture, nous avons choisi de présenter les sensations émotionnelles et physiques: odorat, toucher, goût et mouvement sous l'appellation « évocations kinesthésiques » avec les guillemets par souci de rigueur.

Chapitre 3

« Soyez attentifs ! »

*Tu veux répéter ? Je me parlais d'autres choses pendant
que tu m'expliquais… [pause] Ah ! c'est ça ! Je n'étais pas attentive
à ce que tu disais… Je dois me parler de ce que tu me disais.*

Marianne

Les problèmes d'attention peuvent être d'origine alimentaire, affective ou neurologique, ou être dus à une mauvaise gestion mentale. Il est important de considérer tous ces aspects afin d'intervenir adéquatement auprès de l'enfant. Toutefois, dans ce chapitre consacré à l'attention, nous ne traiterons cette question que sous l'angle de la gestion mentale.

« Soyez attentifs ! Concentrez-vous ! »

Combien de fois avons-nous entendu cette recommandation souvent faite sur le mode impératif ! Or, pour assurer une bonne attention, il ne suffit pas de demander d'écouter ou de regarder, ou même encore de se concentrer. De même, il ne suffit pas d'avoir une bonne perception auditive et visuelle pour être attentif. On peut très bien voir sans regarder et entendre sans écouter. Ne vous arrive-t-il pas de lire un paragraphe ou d'entendre une conversation en pensant à autre chose ?

On croit encore à tort qu'il suffit de recommander à un enfant d'être attentif pour qu'il le soit alors qu'on devrait l'informer des moyens à prendre pour être attentif.

Tout comme les gestes que l'on doit exécuter pour une action physique, il y a des gestes qui doivent être accomplis mentalement afin d'accéder à la connaissance. Comme on l'a mentionné au chapitre précédent, on ne peut enseigner la planche à neige sans expliquer avec des mots ou sans montrer les mouvements que requiert une descente. Jamais on ne se contenterait d'attacher les pieds d'une personne à une planche à neige en lui indiquant qu'elle doit simplement descendre et s'arrêter au bas de la pente. Ne faisons-nous pas cette erreur en demandant à notre enfant d'être attentif, de réfléchir, de comprendre, de mémoriser ou de créer, mais sans l'aviser des moyens à emprunter pour réussir?

Être attentif

L'évocation de ce qui est perçu est le fruit de l'attention. On est attentif à un paysage si on s'en fait une image (évocation visuelle) qui occupe un espace dans son esprit, à la manière d'une photo ou d'un film. On peut aussi être attentif si, en regardant ce même paysage, on se réserve du *temps* mental pour sa description (évocation auditive ou verbale). Il est parfois nécessaire de vérifier si l'image ou la description qu'on s'en fait est conforme au paysage en question. On devrait pouvoir conserver en tête l'évocation du paysage en se fermant les yeux ou en fixant, par exemple, un objet auquel on ne prête pas attention. Le paysage passe de l'état d'objet perçu par la vision à l'état d'objet évoqué.

Consignes à donner à son enfant AVANT de lui présenter un objet à percevoir auditivement ou visuellement

 «Écoute ce que je vais te dire, avec le projet de le réentendre, de le dire ou de le voir dans ta tête.»

OU

 «Regarde ce que je vais te montrer, avec le projet de le nommer, de le décrire, de l'entendre ou de le revoir dans ta tête.

«Tu auras besoin de te faire de la place ou de te donner du temps dans ta tête pour accueillir ce que tu entendras ou ce que tu verras.»

Si le terme *projet* pose problème, notamment aux plus jeunes, on peut leur demander d'écouter ou de regarder pour voir, entendre ou se dire «dans sa tête». Plus simplement encore, on lui dira: «Écoute (ou regarde) pour mettre dans ta tête.» Toutefois, il faut bien s'assurer que l'enfant saisit bien que *mettre dans sa tête* signifie voir, entendre ou se parler dans sa tête.

Voici ce qu'implique le geste d'attention

✓ La préparation

Être en projet de faire exister *mentalement* ce qui est perçu par les cinq sens en s'ouvrant un espace ou un temps pour accueillir les évocations (les images visuelles, verbales ou auditives).

✓ **La construction de l'évocation**

Regarder :

- pour revoir tel quel (évocation visuelle) ;
- pour voir à sa façon (évocation autovisuelle) ;
- pour entendre ce qu'on en dit (évocation auditive) ; OU
- pour se dire (évocation verbale)
  « dans sa tête ».

Écouter :

- pour réentendre tel quel (évocation auditive) ;
- pour se redire à sa façon (évocation verbale) ; OU
- pour s'en faire une image (évocation visuelle ou autovisuelle)
  « dans sa tête ».

Toucher, sentir et goûter :

- pour voir (évocation visuelle ou autovisuelle) ;
- pour se dire (évocation verbale) ; OU
- pour entendre (évocation auditive)
  « dans sa tête ».

✓ **La vérification**

Faire des allers-retours entre l'objet de perception et l'évocation jusqu'à ce que l'évocation soit précise et conforme à ce qui nous est présenté par la perception.

✓ **La conservation**

Conserver l'objet perçu « dans la tête » en l'absence de l'objet de perception.

Certains d'entre nous ont une dominance visuelle tandis que, pour d'autres, c'est l'évocation auditive ou verbale qui s'impose en premier. Nous avons donc des habitudes mentales qui nous sont propres.

Les habitudes mentales

Certaines personnes privilégient une forme d'évocation plutôt qu'une autre. Nous parlerons donc d'habitudes mentales. Celles qui produisent essentiellement des évocations visuelles auront *généralement* plus de facilité en orthographe d'usage, en géographie, en géométrie, tandis que celles qui ont pour habitude d'évoquer auditivement ou verbalement se sentiront, *pour la plupart*, à l'aise en histoire, en composition.

Certaines personnes vont être attentives si on leur présente l'objet de perception dans la même forme que celle de leurs évocations.

EXEMPLE

Si un étudiant a une propension à évoquer visuellement et que son professeur de cuisine explique verbalement une nouvelle recette, il aura plus de difficulté à être attentif et sera en attente de la démonstration (qui lui offre une perception visuelle) tandis que son voisin, dont les formes d'évocation sont de nature auditive, aura de la facilité à suivre le discours du chef. Il trouvera d'ailleurs presque inutile la démonstration pendant que le premier sera enfin soulagé de pouvoir suivre la leçon.

Certaines personnes ont des évocations mixtes, c'est-à-dire qu'elles font des évocations visuelles, verbales et/ou auditives. Leur dominance s'en trouve plus difficile à dégager, mais elles éprouvent moins de peine à s'adapter à diverses situations indépendamment de la nature (visuelle, auditive ou kinesthésique) de la perception.

Est-ce à dire qu'une personne qui évoque essentiellement de façon auditive ne pourrait comprendre un chemin tracé sur une carte et qu'une autre, pour qui l'attention s'enclenche lorsqu'on lui montre un objet quelconque, serait dépourvue devant un discours? Heureusement, il n'en est rien. Car il est possible de traduire l'objet de perception, peu importe sa nature (visuelle, auditive ou kinesthésique), dans les formes d'évocation désirées. On peut, en effet, traduire en évocations visuelles ce qu'on entend et ce qu'on ressent, ou traduire en évocations auditives ou verbales ce qu'on voit et ce qu'on ressent.

Les explications verbales du chef cuisinier pourraient être traduites en évocations visuelles (se faire des images mentalement à partir des explications verbales) et sa démonstration traduite en évocations verbales (dire en ses propres mots mentalement à partir de la démonstration).

· **Exemple 1**
Vous entendez le chef dire :
«Vous mélangez les ingrédients secs dans un grand bol. » Et vous vous voyez mentalement en train de mélanger les ingrédients secs dans votre bol.

· **Exemple 2**
Vous voyez le chef casser un œuf d'une manière professionnelle, mais sans explication, et vous vous décrivez mentalement sa technique.

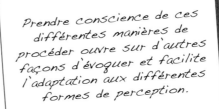

Prendre conscience de ces différentes manières de procéder ouvre sur d'autres façons d'évoquer et facilite l'adaptation aux différentes formes de perception.

Et vous, comment fonctionnez-vous ?
Comment votre attention se met-elle en marche ?

Lorsqu'on tente de vous expliquer les règles d'un jeu, une recette à suivre ou un trajet à emprunter, vous redonnez-vous ces règles en images concrètes ou abstraites ? Les réentendez-vous ou vous les redites-vous ? Vous imaginez-vous en train de jouer au jeu ou de faire le trajet, ou vous redonnez-vous l'explication ?

Il est plus facile de faire cette expérience avec une autre personne. Par exemple, vous lui expliquez verbalement un trajet (qu'elle connaît en partie seulement, la deuxième partie devant être nouvelle pour elle) en lui laissant le temps de faire ses évocations, puis vous lui demandez de décrire le contenu de celles-ci.

Le but n'est pas de souligner une réussite ou non (« Est-ce que j'ai bien mémorisé le trajet ou pas ? »), mais de découvrir **comment** se construisent les évocations (visuelles, autovisuelles, auditives ou verbales). Cette personne se donne-t-elle des directions ? Voit-elle le chemin ? Fait-elle partie de son évocation ? Quel est le contenu de ses évocations ? Des images concrètes ? Une carte géographique ? Compare-t-elle avec un autre trajet ? Se crée-t-elle des images pour se rappeler le trajet ? Est-ce que la partie du trajet qui est connue est évoquée différemment ou de la même manière que celle qui est inconnue ? En quoi telle ou telle évocation l'aide-t-elle ?

Inscrivez sur une feuille vos observations sur cette introspection cognitive et cette prise de conscience de la façon d'apprendre. Vous pouvez vous référer au lexique à la fin du livre pour vous aider à décrire le contenu de vos évocations.

Puis, modifiez les rôles afin que vous puissiez à votre tour expérimenter ce type d'introspection et que vous constatiez les similitudes et les différences dans vos façons d'être attentifs. Vous pouvez refaire l'expérience en variant les formes de perceptions, par exemple, avec une recette ou avec les règles d'un jeu.

Mise en garde

Maintenant, on comprend mieux pourquoi il est important de s'ouvrir à des fonctionnements différents du sien et de faire attention de ne pas imposer une façon unique de faire, même si elle a été efficace pour soi. De plus, il faut constater qu'un enfant ou un adulte a le pouvoir de changer et de s'améliorer. Il ne faut pas le figer dans un type de fonctionnement ou dans un autre. Nous ne sommes pas à la recherche d'une étiquette ou d'un diagnostic. On vise plutôt à offrir des mots pour aider chacun à mieux comprendre son fonctionnement et à l'améliorer en s'ouvrant à d'autres possibilités.

Il convient ici de faire un petit rappel. Lorsque nous parlons de visuel ou d'auditif, nous le faisons sur le plan des évocations et non de la perception. Car n'oublions pas que, peu importe la nature de la perception (visuelle, auditive ou kinesthésique), une évocation d'une autre nature (verbale, auditive, visuelle et, parfois, kinesthésique) peut être produite.

Malgré cette mise au point entre objet de perception et évocation, des confusions persistent :

> « Il y a plus de visuels que d'auditifs. » ou « Il y a plus d'enfants qui apprennent par évocations visuelles que d'enfants qui apprennent par évocations auditives. »

Ces idées reçues peuvent s'expliquer par le fait que la présentation en perception visuelle d'un objet, une carte indiquant un chemin par exemple, a un caractère permanent qu'une information donnée verbalement, à cause de sa nature même, ne peut donner. La perception auditive d'une phrase, par exemple, s'éteint aussitôt prononcée. Plusieurs personnes qui ont une propension à évoquer auditivement ou verbalement apprécieront la permanence de l'objet de perception afin de construire graduellement leurs évocations auditives ou verbales par des allers-retours entre la perception et leur évocation. Par exemple, une personne pourrait se décrire elle-même ou entendre une description de ce qu'elle voit sur la carte routière et comparer ce qu'elle voit avec ses évocations verbales ou auditives. Cela étant dit, on devrait retrouver autant de gens qui favorisent la langue évocative auditive et verbale que de gens qui privilégient la langue évocative visuelle.

> « Mon fils est auditif comme moi. » ou « Mon fils doit se construire des évocations auditives comme moi pour apprendre. »

Le danger est de reconnaître chez l'autre ce qui a du sens pour soi-même. Apprenant surtout de façon auditive, on relève chez l'autre les évocations qui ont du sens pour soi, comme celles qui, dans cet exemple, sont de nature auditive.

Il faut aussi faire attention de ne pas coller d'étiquette à notre enfant, mais d'apprendre à le connaître sur un autre plan. Il faut garder en tête que chacun, par la prise de conscience de son propre fonctionnement, peut être amené à développer des habitudes visuelles, verbales ou auditives qui prolongent les premières évocations qu'on se donne. Par exemple, à partir d'une évocation visuelle, on peut produire des évocations verbales en se décrivant ce que l'on voit mentalement, tout comme on peut générer des évocations visuelles à partir d'une explication que l'on se donne ou que l'on entend.

Causes possibles des échecs ou des difficultés d'attention

La première cause des échecs d'attention est sans aucun doute le fait d'ignorer ce qu'on doit faire pour être attentif. Certains sont distraits ou produisent des évocations par associations. Pour d'autres, il en résulte l'apparition d'évocations émotives de type paralysantes ou précipitantes qui les emprisonnent. Une autre cause peut être la difficulté de l'élève et de l'enseignant ou du parent à s'adapter à la langue évocative de l'autre. Il y a aussi ceux qui, avec toute la bonne volonté du monde, vont évoquer la volonté d'être attentif au lieu d'évoquer l'objet d'apprentissage en question.

Voyons de plus près chacune de ces difficultés.

Les distraits

Les distraits sont ceux qui évoquent le mauvais objet de perception.

Ginette dit avoir de la difficulté à comprendre un film dans lequel une scène se déroule à l'intérieur. Je lui demande si elle a une explication à cela.

Ginette :

« C'est parce qu'il y a des objets autour des acteurs, alors c'est difficile d'écouter. »

José :

« Lorsque tu regardes ces objets, est-ce que tu te fais des commentaires, est-ce que tu t'en fais une image ou est-ce que tu fais autre chose ? »

Ginette :

« Je me passe des commentaires. »

Ginette n'est pas en projet d'évoquer le dialogue, mais le décor.

Je lui lis donc une histoire. Nous constatons qu'elle fait une évocation visuelle directement de ce qu'elle entend. Elle n'évoque pas les objets de mon bureau, car ils lui sont maintenant très familiers.

Sa solution : elle tentera d'écouter un film en se cachant les yeux de temps à autre pour tenter d'évoquer le discours au lieu du décor. Après un temps de pratique, elle n'aura plus besoin de fermer les yeux, car le projet de sens modifié (se préparer à se construire des évocations de ce qu'elle entend au lieu de ce qu'elle voit) lui suffira pour évoquer la bonne partie de la perception.

Les évocations par associations

Les évocations par associations sont caractérisées par une partie de l'objet d'attention qui amène la personne à évoquer autre chose qui n'est plus en lien avec l'objet initial. Par exemple, un élève écoute l'explication d'une règle de grammaire qui lui fait penser à son livre de grammaire, qu'il n'a pas encore fait recouvrir, ce dont il doit parler avec sa mère après la classe... Tout à coup, il s'imagine à la maison en train de jouer avec son nouveau jeu électronique. Pendant combien de temps n'aura-t-il pas été attentif à l'explication de la règle de grammaire ?

Les évocations paralysantes

Les évocations paralysantes sont celles qui, comme son nom l'indique, paralysent. Par exemple, l'enfant qui se retrouve en face d'un problème à résoudre et qui le relit sans cesse ou qui n'essaie pas de le résoudre. On dit de lui qu'il manque de confiance en soi. Ce comportement peut s'expliquer par le fait qu'il ne parvient pas à traduire dans ses mots ou ses images (évocations) ce qu'il lit, ou qu'il multiplie les possibilités de sens. « Ça peut vouloir dire telle chose ou telle autre. On peut comprendre la chose de telle manière ou comme ceci... » Il ne peut passer à l'action.

On peut lui suggérer, tout en prenant le temps d'évoquer le problème, de s'imaginer partie prenante de l'histoire du problème avec des situations connues. Il doit jouer le rôle d'acteur (par des évocations autovisuelles) ou de narrateur (par des évocations verbales) qui agit.

Les évocations précipitantes

Les évocations précipitantes sont celles qui poussent l'enfant à produire au plus vite. L'important, pour lui, est d'avoir un produit fini. La qualité ne compte pas. Cet élève se met au travail avant même que l'explication soit terminée. Il a l'air tellement sûr de lui. Il ne se remet pas en question et ne ressent donc pas le besoin de vérifier son travail. Il manque d'assise.

Il peut s'agir aussi de celui qui a peur de perdre le sens qu'il s'est fait de la tâche à accomplir ou du problème à résoudre. Il se précipite sur la première hypothèse de solution qui lui vient à l'esprit sans la remettre en question.

Ici, on lui suggérera de confronter ses propres évocations avec les informations de la résolution de problème jusqu'à ce qu'elles soient conformes. Il doit prendre une distance en jouant le rôle d'un spectateur (par des évocations visuelles) ou d'un auditeur (par des évocations auditives) qui témoigne d'une situation.

Il y a celui qui sera pris par une émotivité paralysante et l'autre par une émotivité précipitante. Le premier est celui qui tourne en rond, qui ne se croit pas capable de relever le défi, qui ne tente pas de solution. À l'école, c'est celui qui répète toujours les mêmes erreurs, qui n'ose pas de peur de se tromper et qui pourrait même se refermer complètement. Il est pris dans son émotivité. Le voilà paralysé. Le second, au contraire, s'élance trop vite pour se rendre compte qu'il échoue. À l'école, on dit de lui qu'il répond trop vite, sans réfléchir. Il est pris dans une émotivité précipitante vouée à l'échec.

Ces enfants ont tous deux besoin de prendre conscience de leurs activités mentales[8]. Le premier, celui qui a une émotion paralysante, doit être amené à évoquer une trajectoire avec un but à atteindre et le deuxième, pris d'une émotion précipitante, doit s'affairer à construire des évocations qui représentent les moyens à prendre en compte pour atteindre son objectif. Sans quoi, ils feront peu d'apprentissage et leur motivation risque de tomber.

---

8. Rappelons que ce livre traite de l'attention sous l'angle de la pédagogie des gestes mentaux et que nous reconnaissons que la problématique doit être considérée aussi sous les autres angles (nutritionnel, affectif et neurologique).

Un enseignant ou un parent qui n'a pas la même dominance d'évocation que l'enfant

Il est fréquent, voire courant, de voir un enseignant qui a des habitudes évocatives très auditives se décourager à expliquer de long en large une notion qu'un élève aux habitudes évocatives visuelles peine à comprendre. L'adulte conclura qu'il n'écoute pas ou qu'il n'est pas intelligent. La même situation se présente lorsqu'un élève aux habitudes plus auditives attend vainement les mots de son enseignant pour qui un schéma vaut mille mots. Cet enseignant a l'impression que son élève n'est pas attentif puisqu'il ne le regarde pas. En effet, on remarque que, contrairement à l'élève qui évoque visuellement, celui qui évoque auditivement regarde très peu le tableau ou ce qu'on lui montre visuellement car il construit son évocation à partir de ce qu'il entend. Ce sont les mots qu'il évoque aisément. Ce qu'on lui montre visuellement n'attire pas son attention et peut même le distraire.

Le même phénomène peut se manifester avec un parent qui tente avec la meilleure volonté du monde d'aider son enfant, mais sans prendre en compte leur différence de fonctionnement. C'est dans ces moments que les tensions peuvent monter sans que l'on puisse comprendre pourquoi. Un parent averti des différents fonctionnements mentaux saura mieux s'adapter au fonctionnement de son enfant et évitera ainsi les désagréments qu'une situation d'apprentissage (monter à vélo, nager, lacer son soulier, faire ses devoirs, etc.) peut occasionner.

Les parents, tout autant que les enseignants, doivent s'efforcer de trouver une façon d'aider qui convienne à l'enfant. À tout le moins, on doit présenter la matière ou l'objet d'apprentissage sous les formes visuelle et auditive. Cela n'est pas toujours aisé à faire lorsqu'on fonctionne essentiellement avec des évocations visuelles, verbales ou auditives et que notre enfant fonctionne autrement. Mais cela explique parfois pourquoi un parent a une grande facilité à aider son premier enfant dans ses devoirs et ses leçons tandis qu'il s'arrache les cheveux à faire comprendre à son deuxième les mêmes problèmes avec les mêmes explications et les mêmes trucs qui, pourtant, avaient bien fonctionné avec l'aîné. Ce n'est pas nécessairement une question de manque d'aptitude chez le cadet; il y a beaucoup de chances que ce soit un problème de communication entre le parent et son cadet. Ils n'emploient pas la même langue évocative.

Dans ce cas, on aura recours, à certains moments, à son conjoint ou à sa conjointe qui très souvent fonctionne de manière complémentaire. Cela permettra au cadet de mieux saisir et au parent excédé de perdre moins de cheveux... Toutefois, si vous êtes le seul adulte à la maison, vous courez la chance d'être plus efficace si vous prenez le temps de rejoindre votre enfant dans sa langue évocative ou, à tout le moins, en lui demandant de quelle manière il préfère qu'on l'aide : avec des mots et des explications ou avec des dessins et des exemples.

Enfin, certains ont des difficultés dans une matière plutôt que dans une autre ou dans un domaine plus que dans un autre. On remarquera que plusieurs d'entre eux n'ont pas pensé à être attentifs à la matière ou au domaine qui leur pose problème. Ils n'ont pas pensé à évoquer.

Il est vrai qu'on rencontre des élèves et des adultes qui réussissent très bien malgré qu'ils soient plus ou moins conscients de la façon dont ils évoquent. Toutefois, ces derniers constatent qu'ils progressent et éprouvent plus de facilité dans des matières, jusque-là plus ardues, au fur et à mesure qu'ils prennent conscience de leur fonctionnement. Ils peuvent, en effet, mettre à profit les mouvements mentaux qui leur sont bénéfiques dans des situations plus complexes.

Voilà pourquoi il semble primordial d'informer les jeunes sur ce qu'ils doivent faire mentalement pour s'approprier de nouvelles connaissances et habiletés. **Car, sans évocation, il n'y aura pas d'apprentissage.**

Évoquer la volonté

Se répéter sans cesse : « Il faut que je sois attentif, il faut que je sois attentif… » constitue une autre cause possible de difficulté d'attention. Ce faisant, on *évoque la volonté* d'être attentif et non l'objet de perception qu'on nous présente. Celui à qui on a enseigné que, pour être attentif en classe, il fallait être assis droit, les bras sur le bureau et regarder l'enseignant, évoquera sa posture et son regard dirigé dans la bonne direction au lieu du contenu qu'on lui présente. Cela dit, l'enfant doit adopter une posture d'apprentissage qui n'est pas celle qu'il prend pour relaxer. Toutefois, on doit comprendre que certains élèves peuvent avoir besoin de ne pas regarder l'enseignant lorsque celui-ci donne des explications, car cela peut les distraire et empêcher la construction des évocations désirées. Cela nous amène à prendre en considération ce que l'on nomme l'objet d'inattention.

L'objet d'inattention

On retrouve chez certains enfants (comme chez des adultes) le besoin de manipuler ou de regarder un objet pendant une explication ou une démonstration. Par exemple, jouer avec son efface, gribouiller sur une feuille, regarder le paysage, fixer un mur de la classe, entendre les oiseaux piailler ou le tic-tac de l'horloge, etc.

Rappelons-nous qu'afin de faire naître l'évocation, l'enfant doit faire des allers-retours entre l'objet de perception et sa conscience. Pour ce faire, il doit aussi tourner son regard ou son entendement vers un objet d'inattention. C'est à cet instant que l'évocation peut prendre forme et s'enrichir. Cet instant ou ce lieu se présente comme une pause pour mieux revenir à la perception. L'objet d'inattention permet à la personne de passer en revue ce qu'elle a mis dans son esprit. Cet objet agit comme intermédiaire entre l'objet auquel on doit porter attention et l'évocation que l'on s'en fera. Pour certains, c'est le regard porté sur la fenêtre alors que, pour d'autres, c'est la manipulation d'un objet ou les cris des enfants qui jouent dehors.

Le sachant, on s'inquiète moins lorsqu'un enfant ne regarde pas toujours dans la direction de celui qui parle et on comprend pourquoi un autre a de la difficulté à ne pas manipuler un objet pendant la présentation de l'enseignant ou pendant les leçons. Cette manipulation doit tout de même respecter les autres et ne provoquer ni bruit ni mouvement exagéré. Comme enseignant ou comme parent qui accompagne son enfant dans ses devoirs, on a ici une belle occasion de sensibiliser l'enfant à son besoin de manipuler un objet tout en l'amenant à se questionner sur l'utilité ou sur la nuisance possible d'un tel comportement. Si on respecte, comme adulte, ce besoin et qu'on lui reconnaît le droit de modifier ce comportement selon qu'il lui nuit ou qu'il l'aide, on lui fournit l'occasion de devenir plus responsable.

Voyons maintenant un exemple qui illustre bien les besoins qu'éprouvent certains enfants afin d'être attentifs.

> Simon avait un grand besoin de bouger pendant la période des devoirs et des leçons à la maison. Ses parents lui permettaient de se tortiller sur le divan pendant qu'ils lui demandaient ses tables de multiplication ou de marcher dans la pièce pendant qu'il faisait ses leçons. En classe, cet enfant dérangeait sans cesse par son comportement trop actif et il fallait sans cesse le ramener à l'écoute et lui répéter les consignes de la tâche. Un jour, l'enseignante s'est assise avec lui et ils ont discuté de ce comportement. Ils en sont venus à la conclusion que le jeune avait besoin de bouger pour être attentif, et c'est lui-même qui a suggéré d'être placé en arrière de la classe afin de pouvoir se lever au besoin et manipuler des objets sans déranger la classe. Après quelques jours d'expérimentation, l'enseignante n'a pu que constater la grande différence dans la participation de cet élève et l'augmentation de son attention. Quant aux autres élèves de la classe qui ont participé à l'expérience, ils se disaient moins dérangés et acceptaient de laisser leur ami marcher de long en large au fond de la classe, car ils en comprenaient la raison. De plus, la décision s'était prise dans le respect des besoins (et non des caprices) de chacun.

Voici d'autres exemples plus courants.

Philippe joue sans cesse avec son crayon au point qu'il l'échappe et doit se lever et tirer sa chaise plusieurs fois pour le ramasser.

José :

Ton crayon me semble vivant.

Philippe me sourit.

José :

Pourquoi manipules-tu sans cesse ton crayon ?

Philippe :

Je ne sais pas. C'est une habitude.

José :

Crois-tu que cette habitude t'aide en quoi que ce soit ou crois-tu qu'elle pourrait te nuire ? Tu n'as pas à me répondre maintenant, mais j'aimerais que tu y portes attention au cours de notre rencontre.

Il est important ici de lui laisser le temps de réfléchir à la question et de juger par lui-même si la manipulation l'aide ou lui nuit. Lui demander de répondre aussitôt provoquerait une réponse basée sur ce qu'il devrait répondre au lieu de l'amener à prendre conscience de son besoin et d'adapter son comportement en fonction de celui-ci. Il se sentira respecté et partie intégrante de la recherche de solutions. L'enfant collaborera d'autant plus.

Quelques minutes plus tard...

Philippe :

C'est vrai que le crayon qui « revole » tout le temps me fait perdre du temps et parfois je ne suis plus attentif pendant que je ramasse mon crayon.

José :

Que suggères-tu ?

Philippe :

Je vais le déposer là et le reprendrai lorsque j'en aurai besoin.

Au cours d'une autre rencontre, on a constaté que Philippe avait tout de même besoin, pendant l'exécution de tâches plus exigeantes, de manipuler un objet. C'est ensemble que nous avons trouvé un objet dont la manipulation ne dérangeait pas les voisins par le bruit ou le mouvement : une balle mousse « antistress » qu'on peut écraser avec ses mains et déchiqueter. Pour d'autres enfants, c'est une efface. Il existe aussi le *Eggsercizer*, le *Resistive exercise putty*, la *Strech ball* et la *Mechball* utilisés surtout en ergothérapie pour la réhabilitation des fonctions de la main et la réduction du stress. Cet œuf, cette pâte et ces balles, aux densités variables, sont fabriqués dans des matériaux qui ne se détériorent pas.

Un jour, Isabelle me mentionne qu'elle se fait sans cesse avertir par son enseignante de s'asseoir et d'arrêter de bouger. En rééducation individuelle, Isabelle avait choisi de s'asseoir sur un coussin gonflé d'air qui lui permettait de demeurer assise en canalisant ses besoins physiologiques par les micros mouvements pour rester assise en équilibre. Elle pouvait ainsi demeurer concentrée sur la tâche au lieu de porter attention à rester en place. Elle décide donc de demander à son enseignante d'avoir son coussin spécial en classe. Après quelques jours d'expérimentation, l'enseignante et Isabelle ont pu constater des progrès notables.

Benoît, de son côté, avait besoin de dessiner en classe. Il disait que cela l'aidait grandement à rester attentif. Après vérification, l'enseignante lui a accordé la possibilité de dessiner pendant les explications données en classe. Si d'autres élèves désiraient en faire autant, ils devaient prouver que cela était aidant et non pas dérangeant.

On évalue souvent le degré d'attention d'un enfant à son attitude extérieure. Regarde-t-il l'objet de perception, le tableau à l'école, le visage de sa mère qui lui parle ? Nous savons pourtant qu'il est possible de regarder notre interlocuteur ou de lire un texte en pensant (en évoquant) tout à fait autre chose.

Voilà pourquoi il faut se garder de juger si un enfant est attentif par la simple observation des comportements extérieurs.

L'importance de laisser le temps d'évoquer

Il est important de donner à l'enfant le temps nécessaire pour évoquer. Cela dépend de sa dominance visuelle ou auditive/verbale et de la nature visuelle ou auditive de la perception.

En effet, l'enfant qui évoque d'abord visuellement a une traduction à réaliser si le message est donné verbalement. De même, l'enfant qui évoque directement ce qu'il entend a une traduction à opérer si le message lui est transmis visuellement. On peut comprendre pourquoi l'enfant exclusivement visuel ou auditif commence à s'agiter ou à être dans la lune si le message n'est pas présenté dans son registre privilégié.

L'enfant à dominance visuelle doit donc comprendre qu'il peut mettre en images ce qu'il entend. Quant à celui qui est plutôt à dominance verbale, il doit se redire, se décrire ou se commenter ce qu'il voit. Pour cela, il faut qu'il ait le temps nécessaire pour acquérir cette nouvelle habitude.

Pensons à aider l'enfant à dominance visuelle à être attentif en écrivant certains mots clefs de notre discours, en faisant un dessin ou un schéma. Puis décrivons, expliquons ou racontons l'objet présenté visuellement à celui qui a une dominance verbale/auditive.

Il faut bien comprendre que l'information s'enracine et se retrouve ultérieurement grâce au temps et au silence si précieux à tout apprentissage. Ce temps permet la naissance de l'évocation. Si l'évocation manque de temps pour se construire, elle demeure incomplète. La connaissance est alors superficielle et le danger qui guette l'enfant réside dans le fait qu'il se contentera d'une compréhension incomplète ou qu'il développera une forme de passivité intellectuelle se manifestant par l'attente d'une reformulation de l'adulte.

Le silence est parfois difficile pour certains. Le parent peut le ressentir parfois comme une souffrance que vit l'enfant et penser qu'il ne connaît pas la réponse, qu'il ne fait que passer le temps jusqu'à ce qu'on vienne à sa rescousse…

Plusieurs enfants, pour remplir le silence ou pour répondre le plus rapidement possible, et pensant sûrement avec raison qu'on ne leur laissera pas le temps d'évoquer, vont répondre qu'ils ne savent pas la réponse. Ici, l'adulte doit se garder de fournir toute réponse ou indice. Il doit laisser à l'enfant le temps d'évoquer la question (ce qui amène le geste d'attention) puis de chercher dans ses acquis une évocation qui lui permettrait de répondre (nous faisons, ici, un clin d'œil au geste de réflexion).

José :

Quelle est la capitale du Québec ?

Élaine :

Je ne sais pas.

Silence...

Élaine :

Ah ! Oui ! c'est la ville de Québec.

José :

Très bien. As-tu remarqué que ta première réponse est souvent « Je ne sais pas », et que lorsque je te donne du temps, tu trouves la bonne ?

Élaine :

Bien, j'y ai réfléchi.

José :

Peut-être que la prochaine fois tu pourrais laisser tomber le « Je ne sais pas », et je t'assure que je te donnerai le temps nécessaire pour que tu puisses réfléchir et trouver la réponse.

Cela prendra quelque temps avant qu'elle ne réponde plus par « Je ne sais pas », car elle doit changer une habitude qui peut être très ancrée.

Il est probable que, les premières fois, elle ne sache pas utiliser ce temps. C'est à ce moment qu'il faut intervenir et l'amener à évoquer la question, puis lui demander ce qu'elle en comprend, si elle a déjà fait ce type d'exercice en classe...

La même situation peut se présenter avec un enfant qui répond trop vite.

José :

Quelle est la capitale du Québec ?

Benoit :

Ottawa !

Silence...

Benoit :

Oh ! non, non ! C'est la ville de Québec.

José :

En es-tu certain ?

Silence...

Benoit :

Oui, c'est Québec, ça me revient maintenant. Je la vois sur la carte, dans ma tête.

José :

Peut-être que la prochaine fois, tu pourrais garder ta première réponse pour toi et prendre le temps de t'assurer que c'est bien la bonne avant de la donner. Sois certain que je te donnerai le temps nécessaire pour évoquer et vérifier la réponse dans ta tête.

Le temps nécessaire pour évoquer peut aller jusqu'à 15 secondes selon sa dominance visuelle ou auditive/verbale et en fonction de la nature visuelle ou auditive de la perception. Comment savoir que l'enfant a besoin de plus de temps pour évoquer ? Comment savoir si on l'aide en le ramenant à la tâche sans risquer de couper sa réflexion ?

Il y a un moyen que nous propose la PNL (programmation neuro-linguistique) de vérifier si un enfant est en recherche de sens ou s'il n'est plus en train d'évoquer. Si les yeux se promènent de gauche à droite vers le haut, le bas et à l'horizontale, il ne faut surtout pas le déranger, car il est actif cognitivement, il évoque et cherche à faire du sens avant d'émettre une réponse. Laissons-lui le temps nécessaire et indispensable pour évoquer et ainsi favoriser grandement les chances d'un nouvel apprentissage ou d'une réponse réfléchie. C'est lorsqu'il baisse la tête qu'on peut *soupçonner* qu'il n'est plus en recherche de sens et qu'on peut lui proposer notre aide. Retenons que ce n'est pas parce qu'il ne nous regarde pas qu'il n'est pas en évocation. Dans le doute, nous pouvons vérifier en lui demandant s'il a besoin de notre aide ou de plus de temps pour évoquer.

Faites l'expérience avec une autre personne ou avec votre enfant en lui demandant de vous épeler le mot éléphant ou le mot hippocampe. Il s'agit de lui demander un mot assez difficile pour qu'il ait besoin d'y penser un peu, de l'évoquer. Selon les compétences en épellation de votre interlocuteur et pour le mettre à l'aise, il est important de mentionner que vous êtes plutôt intéressé de découvrir comment il s'y prend que de vérifier sa performance.

Si vous voyez ses yeux s'orienter à l'horizontal de gauche à droite ou aller vers le haut de gauche à droite, vous pouvez penser qu'il tente de construire ou de rappeler son évocation. Vérifiez en lui demandant s'il voyait les lettres, ou s'il entendait ou se disait les sons des lettres ou des syllabes du mot.

Il arrive, avec certaines personnes, que l'on doive reprendre l'expérience en leur demandant de faire semblant d'écrire un mot, ou de le faire revenir mentalement comme si elles voulaient l'écrire. Puis, on leur repose la même question concernant la forme évocative visuelle, verbale ou auditive du mot. De cette manière, on évite de confronter la personne à une performance à fournir, et on favorise l'évocation.

Vous pouvez aussi faire cet exercice en lui demandant
de résoudre une équation du type :

$$78 + 15 = \underline{\hphantom{xxxx}}$$

sans qu'elle ait recours à un crayon.

Certains enfants font constamment répéter malgré leur bonne audition. Ils se donnent ainsi du temps pour évoquer. En fait, ils n'écoutent pas vraiment pendant que vous prononcez votre phrase une deuxième fois, mais profitent de ce temps pour évoquer ce que vous avez dit la première fois. Le sachant, vous pourriez tenter l'expérience en évitant de répéter et en lui offrant ce temps d'évocation dans le silence. Il aura une autre occasion de constater son besoin d'évoquer pour être attentif.

Certains enfants ont besoin d'entendre la phrase plus d'une fois pour construire leur évocation et pour la confronter avec la perception. Il n'en demeure pas moins qu'ils sont plus performants s'ils ont consciemment le projet d'évoquer. Le nombre de répétitions nécessaire diminuera.

Laisser le temps d'évoquer est une chose, mais il y a aussi un temps de silence et d'autonomie qu'il faut accorder à l'enfant pendant lequel il devra faire seul une partie de ses devoirs et leçons et, parfois, tenter même de se sortir du pétrin sans le recours constant et trop rapide du parent. Encore ici, il apparaît parfois très difficile de laisser son enfant se tirer d'affaire sans notre aide. On n'aime jamais le voir souffrir et on apprécie aussi le temps sauvé par nos coups de pouce. Néanmoins, ce temps « sauvé » sera à rattraper un jour ou l'autre.

Si l'attente vous semble difficile à vivre ou vous amène à avoir des comportements non verbaux qui dénotent de l'impatience, trouvez-vous une petite activité (la lecture d'un article de revue, la planification des repas de la semaine, etc.) tout en vous permettant de rester attentif à ce qu'il fait. N'ayez pas l'air en attente de sa production.

C'est aussi une autre occasion de développer son autonomie. Le fait de « se tenir occupé » pendant qu'il fait son travail vous permettra graduellement de l'amener à ce qu'il fasse une partie, puis la totalité de ses devoirs sans votre présence constante.

Comment favoriser l'attention chez son enfant

Comment peut-on questionner son enfant pour favoriser l'attention ? La façon dont vous vous y prenez a un impact sur sa capacité d'attention.

Le dialogue doit être adapté à l'âge de l'enfant et à ses capacités de compréhension. Vous pouvez vous inspirer des consignes suivantes en les formulant lentement et en faisant des pauses aux endroits stratégiques (identifiés par le symbole /) afin que l'enfant puisse prendre le temps d'évoquer.

BIBLIOTHÈQUE GERMAINE-GUÈVREMONT
2900 DE LA CONCORDE EST
LAVAL 450 662-4002

PRÊTS EN COURS EN DATE DU :
11-12-2016 16:36
pour: CRETU, MARIA
Numéro d'abonné: 00000000583507

J'apprends à penser, je réussis mie...
     Échéance: 15-01-2017
Comptines et poèmes pour jouer avec...
     Échéance: 15-01-2017
60 comptines et sons de la ferme [i...
     Échéance: 15-01-2017
Guide de survie pour l'enseignant s...
     Échéance: 15-01-2017

Nombre de documents: 4

À partir d'une perception visuelle (une image, un diagramme, un mouvement, etc.)

« Prépare-toi à regarder/avec le projet de mettre dans ta tête/ce que tu verras./Tu peux te faire des images dans ta tête/ou encore/tu peux te décrire ce que je te montrerai. »

À partir d'une perception auditive (une explication, une chanson, etc.)

« Prépare-toi à écouter/avec le projet de mettre dans ta tête/ce que tu entendras./Tu peux te faire des images dans ta tête/ou encore/réentendre ou/te redire dans tes propres mots/ce que je te dirai. »

« Sois assuré que je te laisserai le temps de faire des allers-retours entre ce que je te montrerai (ou ce que je te dirai) et ce que tu mettras dans ta tête. » (entre la perception et l'évocation)

Le tableau suivant peut être utile pour se rappeler ce que le questionnement doit inclure. Afin de suggérer des formes d'évocation sans en imposer, on tentera d'offrir au moins deux façons différentes d'évoquer.

AVANT LA PRÉSENTATION DE L'OBJET DE PERCEPTION (avant de montrer ou de dire)	PROJET (de faire exister mentalement)
« Prépare-toi à regarder ce que tu *verras*. » ou « Prépare-toi à écouter ce que tu *entendras*. »	« Pour le mettre dans ta tête ✓ par des **images**, ✓ par des **mots** que tu *réentends* ou ✓ par des **mots** que tu te *dis*. »
Laisser du temps pour permettre des **allers-retours** entre l'objet de perception (ce qu'on lui montre ou ce qu'on lui dit) et l'évocation (les images ou les mots qu'il se construit mentalement) pour les comparer entre eux.	

Il ne s'agit pas ici de mémoriser l'objet car, contrairement au geste de mémorisation où l'objet de perception devra être rappelé en son absence, l'attention implique que l'objet de perception soit présent afin que l'on puisse concevoir l'évocation. La mémorisation sera analysée au chapitre suivant.

Voici un exemple concret d'un dialogue entre un adulte et un enfant de 7 ans face à une perception visuelle d'un moulin.

VISITE D'UN SITE HISTORIQUE

Mise en projet (but et moyens)

Adulte :

« Regarde bien le moulin à vent pour le mettre dans ta tête. Ceci te permettra de pouvoir le dessiner à notre retour. Tu peux t'en faire une **image**, une photo ou un dessin, ou tu peux te **décrire** le moulin ou **entendre** une description dans ta tête. »

Temps d'évocation de quelques secondes.

« Vérifie si tu as bien le moulin dans ta tête, sans le regarder cette fois. »

Temps d'évocation de quelques secondes.

« Ça y est ? Est-ce que tu l'as bien dans ta tête ? »

Enfant :

« Pas tout à fait. »

Adulte :

« Regardons ensemble le moulin et tentons de trouver des mots pour le décrire. Tu pourras prendre ces mots pour **voir** le moulin dans ta tête ou pour les **redire** ou les **réentendre** dans ta tête. »

Une description est faite par l'enfant et aidée ou enrichie par l'adulte par des questions qui feront ressortir les éléments physiques du moulin (pierre, nombre d'ailes, couleur…) mais aussi en demandant à l'enfant de comparer ces éléments à d'autres objets connus. C'est pareil à… ça ressemble à… c'est différent de…

Temps d'évocation de quelques secondes.

Adulte :

« Est-ce une **image**, une photo que tu tentes de reproduire dans ta tête ou est-ce que ce sont des **mots** que tu te répètes ou que tu entends ? »

Nous venons de voir l'exemple d'un objet qui nous était présenté en perception visuelle d'abord puis, plus tard, en perception auditive pour les informations données verbalement par l'adulte lors de la description du moulin. Pour un objet présenté aux sens du toucher, de l'odorat ou du goût, on demande de toucher, de sentir ou de goûter avec le projet de s'en faire une image ou une description dans sa tête.

Dans cette situation, le projet de mémorisation devait s'activer afin que l'enfant puisse garder en mémoire le moulin pour le dessiner ultérieurement. Il ne s'agissait pas simplement d'avoir le projet de l'évoquer mais aussi celui de le conserver.

En effet, pour s'assurer qu'il retrouvera ce moulin dans sa tête lorsqu'il le dessinera, **c'est au moment où il est attentif qu'il doit avoir** *le projet d'avenir* **de le conserver pour le dessiner et non au retour à la maison.** Il doit se rendre conscient de ce qu'il veut faire de l'évocation du moulin au moment de l'attention, c'est-à-dire au moment où il se le met en tête. Meilleures seront ses évocations, meilleur sera son matériel mental de référence pour faire son dessin.

Afin d'isoler **le geste d'attention**, nous n'avons pas insisté **sur le projet d'avenir** dans cet exemple. Nous aurons l'occasion de l'aborder dans le prochain chapitre qui porte sur **le geste de mémorisation**.

Rappelons-nous que le geste d'attention consiste à faire vivre mentalement ce qui nous est donné en perception.

Toutefois, on n'évoque pas seulement pour évoquer. Il y a toujours un projet (une intention, un but) pour cette évocation. C'est-à-dire qu'on est attentif pour mémoriser, pour comprendre, pour réfléchir ou pour créer de l'inédit. Et l'attention est une condition essentielle aux autres gestes mentaux (mémorisation, compréhension, réflexion et imagination créatrice). Malgré tout, cette étape cruciale est souvent escamotée. En effet, il n'est malheureusement pas rare de voir des élèves tenter de mémoriser en partant de la perception elle-même. Que de temps perdu et d'efforts fournis vainement !

Certains de ces élèves perdront leur motivation parce qu'ils se sentent pris, voire prisonniers de la perception. Celui qui demeure en perception est condamné à tourner en rond, à se perdre dans ses idées. Qu'on ne se surprenne pas que des problèmes psychologiques, notamment affectifs, en découlent ! C'est pourquoi il est important d'insister sur le temps nécessaire à accorder à la construction de l'évocation. C'est l'évocation, qui est à l'intérieur de nous, qui permet d'apprendre et de s'approprier des connaissances et non la perception qui, elle, est à l'extérieur de nous.

Il faut donc cesser de ne faire que regarder la chose perçue et plutôt l'évoquer afin de la revoir ou de se la décrire mentalement. Il faut prendre un temps de silence pour voir, réentendre ou se redire ce qu'on vient d'entendre, de toucher, etc.

RAPPEL

✓ L'attention, c'est de rendre présent en nous les êtres et les choses qui nous sont donnés en perception. Il faut les décrire, les écouter, les regarder, les manipuler, les flairer, les goûter pour ensuite s'en faire une évocation.

✓ L'attention, c'est voir pour regarder et entendre pour écouter.

✓ Pour être attentif on doit :
  · d'abord (avant la perception) se mettre en projet d'évoquer (avoir l'intention et les moyens à sa disposition) ce qui est présenté à notre perception en ouvrant un espace mental ou en se donnant du temps ;
  · puis, évoquer par des images visuelles, auditives ou verbales l'objet de perception.

✓ Consigne à donner à son enfant :
  « Regarde ou écoute avec le projet de mettre dans ta tête », « Tu peux te faire des images, te parler ou réentendre dans ta tête. »

✓ L'évocation est le produit du geste d'attention. C'est notre cinéma et notre narration intérieurs.

✓ Le geste d'attention exige des allers-retours entre l'objet de perception (ce qui est présenté à nos cinq sens, ce qui est à l'extérieur de nous) et l'évocation (l'image visuelle ou auditive qu'on en fait mentalement) afin de s'assurer que rien ne nous échappe.

✓ Il ne suffit pas de recommander à un enfant d'être attentif pour qu'il le soit : encore faut-il lui expliquer comment l'être.

✓ Il est fondamental de laisser suffisamment de temps pour évoquer.
  · Il est de loin plus efficace de s'assurer que votre enfant a bien évoqué la ou les consignes que de les répéter inlassablement, en l'avertissant d'abord que vous allez lui demander quelque chose qu'il devra vous répéter dans ses mots ou encore de lui demander de s'imaginer en train d'exécuter la consigne.
  · Laisser du temps d'évocation, laisser l'enfant agir, bouger, prendre le temps de s'approprier les nouvelles connaissances et habiletés tout en évitant de le déranger constamment en lui posant des questions, en lui donnant des indices, etc. Il est bon de poser des questions qui peuvent éclairer et aider le sujet à évoquer, mais il apparaît important, d'abord, de lui laisser le temps d'inventer et de découvrir des façons d'évoquer. Trop le déranger dans son itinéraire mental pourrait l'amener à avorter ses démarches et à demeurer dans la superficialité, ou à développer une certaine dépendance à l'égard des adultes. Il attendra qu'on le dirige et ne développera ni son autonomie ni sa créativité. Il perdra sa motivation, n'ayant pas conscience de son pouvoir d'évoquer. **On doit le laisser être et se sentir penser.**

Chapitre 4

« Souvenez-vous-en ! »

« La liberté est soumise à la loi du temps : celle du passé, du futur et du présent. Dans cet ordre-là. Être libre, c'est comme se projeter dans le futur en tenant compte de ce qu'on a fait dans le passé pour faire des choix dans le présent. »

L'héritière de Grande Ourse
Frédéric Ouellette

Comme nous venons de le voir, l'attention suppose la présence de l'objet de perception. Cela suppose qu'on laisse disponible l'objet de perception visuelle : le dessin, la formule, la carte géographique, etc., ou que l'on reproduise le mouvement de danse, de manipulation, de construction, etc., ou qu'on répète ce qui a été dit le nombre de fois nécessaire pour le rendre présent mentalement (par des évocations visuelles, verbales et auditives).

Il faut donc accorder du temps au geste d'attention, ce qui n'est pas toujours facile compte tenu du rythme de vie effréné que nous connaissons. Il est pourtant nécessaire de s'ajuster si l'on désire améliorer nos capacités de s'approprier les compétences qui nous permettront de mieux vivre.

L'importance de la mémorisation

La mémorisation, quant à elle, exige l'attention (l'évocation) et la réactivation[9] des évocations, puis elle se distingue par son projet d'avenir qui implique de s'imaginer en train d'utiliser les évocations dans une situation future.

---

9. La réactivation signifie « faire revenir les évocations à notre conscience, les rappeler à plusieurs reprises ».

Voyons cela de plus près. D'abord, entendons-nous sur le fait que la mémorisation n'est pas une question de don mais bien une façon de savoir **comment** s'y prendre.

Beaucoup se contentent de parler de la faculté de la mémoire en la concevant comme un don qu'on possède ou pas. « Il n'y a rien à faire, je ne m'en rappellerai plus, car je n'ai pas de mémoire, contrairement à ma sœur qui a une mémoire d'éléphant. » En fait, que ce soit inné ou acquis (depuis la naissance ou appris avec le temps, laissons le débat aux chercheurs et aux philosophes pour l'instant), l'apprentissage de la mémorisation est possible et permet à celui qui dit avoir de la mémoire d'en tirer profit et à celui qui a l'impression d'en être dépourvu d'y accéder enfin.

Plusieurs personnes, y compris des enseignants, réagissent négativement à l'apprentissage par la mémorisation. Il est vrai qu'il était une époque où l'on favorisait le « par cœur » au détriment de la compréhension. Il ne s'agit plus aujourd'hui de repousser du revers de la main le « par cœur » ou la mémorisation au nom de la compréhension, mais de comprendre le service qu'elle peut rendre à l'apprentissage. En effet, avoir des acquis mémorisés (ou des connaissances devenues automatiques) permet de diminuer la charge de travail dans des situations complexes.

Ainsi, pour résoudre un problème en mathématiques où plusieurs étapes sont exigées, ne pas connaître les tables de multiplication augmente la charge de travail et fait courir des risques d'erreurs de calcul et de perte d'information pour la résolution. La mémoire de travail, celle qui permet de garder des informations durant un laps de temps court, mais suffisant pour les manipuler, est encombrée. En effet, en plus de permettre la manipulation des informations du problème, elle doit aussi faire place aux calculs mentaux puisque l'automatisme de ceux-ci n'est pas acquis. Dans un autre contexte, écrire un texte en étant sans cesse en train de se questionner sur l'orthographe d'usage ou grammaticale fait qu'on dépense plus d'efforts à corriger qu'à s'occuper du contenu.

Plus on aura des acquis mémorisés, plus on sera efficace dans l'accomplissement de nos tâches. Ils nous permettent aussi d'être plus disponibles pour apprendre de nouveaux contenus.

La mémorisation ne vise pas uniquement le « par cœur », elle permet aussi de conserver ce qu'on a compris afin de ne pas devoir réapprendre sans cesse. C'est donc grâce à la pratique du geste de mémorisation qu'on conservera nos acquis.

Saisir le sens du temps et le projet d'avenir

Afin de retrouver une information mise en mémoire, il faut nécessairement y avoir été attentif, c'est-à-dire avoir pris la peine de la rendre présente mentalement (de l'avoir évoquée). Toutefois, pour la mémoriser, il faut avoir le projet de la retrouver dans l'avenir. Pour ce faire, **c'est au moment de l'acte d'attention que l'on devra imaginer un avenir où l'on retrouvera cette information.**

Autrement dit, pour mémoriser, il faut avoir le sens du temps. Saisir le présent, le passé et le futur. En effet, pour se souvenir demain de ce qu'on étudie au moment présent, il est nécessaire d'imaginer le futur, c'est-à-dire le moment où l'information sera utilisée.

Pour certains, c'est grâce au projet d'avenir, à la mise en scène mentale du moment ou de l'endroit que l'information reviendra en eux tel que prévu. Leur mémorisation est centrée sur l'avenir.

« Demain, tu auras à raconter cette histoire à ta grand-mère. Écoute-la bien en t'imaginant la lui raconter lorsque tu la verras. »

Pour d'autres, au moment où ils voudront avoir accès à cette information, ils devront faire un retour dans le passé, au moment où ils ont été attentifs à l'objet. Leur mémorisation est centrée sur le passé.

« Demain, tu auras à raconter cette histoire à ta grand-mère. Écoute-la bien en t'imaginant avoir recours à ce que, en ce moment, tu te dis, à ce que tu entends ou à ce que tu te fabriques comme images, pour la lui raconter lorsque tu la verras. »

On dira donc à celui qui veut mémoriser un poème de l'évoquer en s'imaginant en train de le réciter en classe. À celui qui veut accorder correctement les participes passés de s'imaginer en train d'appliquer la règle ou d'y avoir recours, telle qu'il l'a mémorisée.

Le conteur d'histoires n'écoute-t-il pas une bonne blague en s'imaginant déjà en train de la conter à un futur auditoire ?

Dites-moi le projet de vos évocations et je vous dirai à quel endroit ou à quel moment vous performerez.

Il y a trois élèves dans un cours d'anglais, langue seconde.

Le premier étudie l'anglais en pensant au contrôle qu'il doit réussir (projet d'avenir qui vise la réussite d'un examen), l'autre, aux livres en anglais qu'il aimerait lire et comprendre (projet d'avenir de compréhension de lecture) et le dernier, à son cousin anglophone chez qui il passera l'été et avec qui il aimerait pouvoir converser (projet d'avenir de conversation).

Il y a de fortes chances que le premier se dise déçu de ses cours d'anglais qui ne lui ont pas permis d'être bilingue malgré ses excellents résultats, que le second comprenne ses lectures anglaises, mais qu'il ait beaucoup de difficulté à communiquer oralement et que le troisième, malgré des résultats parfois faibles, puisse converser aisément, tout en ayant de la difficulté à comprendre un texte écrit.

Le lieu où chacun performe est celui de son projet d'avenir. D'où l'intérêt de diversifier les lieux de réutilisation.

Voici un autre exemple que l'on rencontre couramment.

« Malgré que mon enfant connaisse bien ses mots de vocabulaire lorsque je les lui demande, il échoue à sa dictée ! »

Si un enfant mémorise les mots de vocabulaire en pensant à sa mère qui les lui demandera plus tard, il y a fort à parier que celle-ci sera très contente des performances de son enfant, mais qu'elle sera aussi très surprise du pauvre résultat qu'il aura lors de son contrôle à l'école. Le projet d'avenir de l'enfant est à corriger ou à élargir. Il devra imaginer son enseignante lui donner la dictée et s'imaginer l'écrire correctement. Certains auront avantage à s'imaginer écrire le mot de vocabulaire dans une phrase, si la dictée est pratiquée de cette manière. Dans ce cas, ils auront aussi à s'imaginer avoir recours à leurs stratégies d'accords préalablement évoquées (un autre clin d'œil au geste de réflexion).

Un avenir accueillant

Un enfant a plus de facilité à imaginer un avenir où il pourra retrouver un acquis mémorisé si cet avenir est accueillant. Un enfant en difficulté, pour qui le contrôle de la semaine est un moment difficile parce qu'on ne reconnaît pas son travail et ses efforts, a d'autant plus de difficulté à se projeter dans l'avenir. Les enseignants, les parents ou tout autre intervenant se questionnent-ils sur la façon dont ils reconnaissent les efforts des enfants?

> Bien que sa mère ait travaillé l'évocation, la réactivation et le projet d'avenir avec sa fille Marie âgée de 8 ans, celle-ci avait des résultats très décevants lors des contrôles du vendredi. Ces matins-là, elle se plaignait de maux de ventre. C'est en la questionnant qu'on a constaté que l'enseignante écrivait le résultat sur sa feuille de contrôle en indiquant le nombre d'erreurs et en y apposant un point rouge si l'enfant en avait plus de trois. Pour Marie, c'était comme être marquée au fer rouge tous les vendredis. Voilà comment elle réagissait à cette méthode d'annotation qui, sans que l'enseignante l'ait voulu, n'offrait pas un avenir très accueillant. Heureusement, l'enseignante a su s'adapter à la situation en acceptant de modifier sa méthode. Elle écrivit plutôt des petits mots d'encouragement et apposa des étoiles pour les efforts fournis. Trois semaines ont suffi pour constater une différence marquée dans la pratique de l'évocation de son avenir et, évidemment, dans ses résultats. Pour chacun d'entre nous, souligner l'effort et la persévérance permet, avec les outils appropriés, d'améliorer les résultats.

Antoine de La Garanderie rapporte dans son livre *Pédagogie des moyens d'apprendre* qu'il avait posé la question suivante aux très bons élèves: «Quel a été le point de départ de votre réussite scolaire?» Tous auraient répondu que le premier succès remporté en classe avait été pour eux déterminant. Ils ajoutaient: «Le premier succès scolaire a ouvert notre esprit à la classe que nous nous sommes représentée comme le lieu du succès possible. Dès lors, lorsque nous apprenions une leçon, c'était avec la perspective de bien la réciter, et nous jouions cette récitation en l'apprenant[10].»

---

10. Antoine de La Garanderie, *Pédagogie des moyens d'apprendre*. Paris: Éditions du Centurion, 1982. p. 87.

Il faut, en effet, avoir confiance : les informations évoquées pour l'avenir seront retrouvées dans cet avenir et elles nous seront utiles. En d'autres termes, il faut s'imaginer dans une situation de réussite et avoir confiance en notre capacité.

> Un élève racontait qu'il avait échoué sa présentation orale même s'il la connaissait par cœur. Il tenait aussi à m'aviser que, pour une fois, il avait pratiqué le projet d'avenir, mais que cela ne semblait pas avoir porté fruit. C'est en lui demandant de me décrire comment il s'était projeté dans le futur qu'il me raconta qu'il se voyait en face de la classe, gêné et apercevant certains élèves qui rigolaient.

Lorsqu'un enfant fait ses premiers pas ou lorsqu'il prononce sa première phrase, comment réagit-on ? Cette réaction, qu'on suppose positive, encourage fortement le petit à tenter de se reprendre. Son projet d'avenir peut être imaginé accueillant et prometteur d'une réussite.

Le même phénomène se présente lorsqu'un père menuisier sourit à son enfant qui réussit à manier un marteau correctement. Ou lorsqu'un pianiste demande à son fils de lui jouer, pour son plaisir, le morceau de piano qu'il a pratiqué dernièrement. On peut penser que ces enfants se projettent dans un avenir prometteur.

Malgré cela, il est possible que certains enfants éprouvent des difficultés en classe parce qu'ils n'ont pas pensé qu'on pouvait aussi évoquer un avenir de réussite dans le domaine scolaire. Comme parent ou intervenant, il est important de les conscientiser aux conditions du geste de mémorisation : l'évocation, le projet d'avenir et la réévocation.

> « Tu as très bien mémorisé cette pièce de musique. Comment t'y es-tu pris ? »
>
> On questionne sur les types d'évocation (visuels/autovisuels, auditifs/verbaux, concrets, automatismes/symboliques, complexes/abstraits ou inédits) et sur leur projet d'avenir.
>
> « Comment pourrais-tu t'inspirer de cette manière de procéder pour certaines matières vues en classe ou pour d'autres domaines où tu éprouves de la difficulté ? »

Des élèves, des enfants, des exemples types

Présence des projets d'avenir dans le quotidien

Dans la vie courante, plusieurs occasions nous permettent de constater l'existence du projet d'avenir lorsqu'on désire mémoriser ou se souvenir d'un contenu précis. Par exemple, un papa achète un nouveau jeu électronique à son garçon de 5 ans. Il ne lui offrira qu'au jour de Noël, deux semaines plus tard. Ceci lui permet de lire les instructions à l'avance afin que le jeune puisse jouer presque aussitôt le cadeau déballé. Tout au long de la lecture des instructions, le père imagine, avec des mots ou des images, comment il expliquera le fonctionnement du jeu à son fils. Il imagine son excitation, ses questions, les embûches possibles que l'enfant pourrait rencontrer…

Passons à un autre exemple qui ne manquera pas de vous rappeler une situation similaire. Vous rencontrez, au moment de vos courses au marché d'alimentation, une amie d'enfance que vous n'avez pas vue depuis plusieurs années. Aussitôt la conversation terminée, vous pensez à l'expression de surprise qu'aura une amie commune lorsque vous lui parlerez de cette rencontre. Ce genre de situations, très chargées émotivement, provoque en un éclair un projet d'avenir pour accueillir les informations que vous avez entreposées « dans votre tête ».

Projet d'avenir à préciser

Une psychologue racontait qu'elle avait plusieurs documents à détruire. Sa sœur possédait une déchiqueteuse chez elle. À toutes les fois qu'elle lui rendait visite, en apercevant la machine à déchiqueter, elle se reprochait d'avoir oublié les documents en question. Pourtant, elle m'assurait qu'elle s'était mise en projet de les déchiqueter chez sa sœur. En la questionnant, on pouvait constater qu'elle évoquait la machine dans le bureau et se voyait l'utiliser. C'est en approfondissant sa réflexion qu'elle a compris à un moment donné que son problème n'était pas d'oublier de déchiqueter les documents, mais d'oublier ses documents à son bureau pour les apporter chez sa sœur. Elle a donc dû modifier son projet d'avenir, en se voyant prendre les documents de son bureau avant sa prochaine visite.

Un avenir absent

Une élève est atteinte d'une maladie dégénérative. Elle a 8 ans et est très consciente que son espérance de vie est compromise. En fait, elle dit elle-même que ses années sont comptées. D'une intelligence au-dessus de la normale, n'étant atteinte d'aucune autre déficience physique, sensorielle ou intellectuelle et ayant un vocabulaire nettement plus développé que les enfants de son âge, on s'explique mal qu'elle soit dans une classe pour enfants ayant des troubles graves d'apprentissage. Elle comprend bien ce qui lui est expliqué et elle participe bien en classe, mais elle oublie. Nous pouvons émettre l'hypothèse, sans beaucoup de risques de se tromper, qu'elle a de la difficulté à avoir un projet d'avenir parce que sa vision de l'avenir est presque nulle.

Les comédiens

Il suffit de questionner des comédiens pour constater l'importance du projet d'avenir. Ils s'imaginent déjà jouer la scène devant les caméras ou les spectateurs. Certains expliquent qu'ils doivent retourner mentalement au moment où ils répétaient leur rôle pour que celui-ci leur revienne. Des objets, des répliques et des mouvements déclenchent le rappel des mots qu'ils doivent dire, car ils ont évoqué ces objets, ces répliques et ces mouvements lors de leur pratique. Ces trois « prétextes » jouent le rôle d'accueil.

Ils préparent l'avenir (la présentation de la pièce de théâtre) pour que le présent (le texte et leur rôle qu'ils pratiquent) se re-présente au moment de la prestation.

Transfert des compétences d'un domaine à un autre

L'enfant dont les parents pratiquent des métiers manuels bénéficie de plus d'occasions de développer des habitudes mentales pour gérer des activités manuelles. Il évoque concrètement ce qu'il voit faire chez eux et il est rapidement en projet de les reproduire. Ces activités étant valorisées dans sa famille, il est assuré que ses tentatives vont être bien accueillies. On pense au petit David, âgé de 2 ans, imitant déjà son père qui travaille dans son atelier. Avec un peu de chance, ce dernier permettra à son jeune de l'aider selon ses capacités.

Toutefois, il arrive qu'un enfant issu d'une telle famille, une fois rendu à l'école, ne pense pas à évoquer les mots et les nombres qui sont du domaine intellectuel. Cette situation ne veut pas dire qu'il n'est pas et ne sera pas compétent pour les activités intellectuelles, et que son avenir est tout tracé vers un métier manuel. Cette situation veut simplement dire qu'il a développé des habitudes évocatives pour les tâches manuelles et qu'il devra penser à évoquer aussi les notions du domaine intellectuel. Pour cela, il faudra lui faire prendre conscience de sa force pour l'élaboration des évocations dans les tâches manuelles, mais qu'il doit en faire autant dans les autres domaines. Il va de soi que ce sera nouveau, donc qu'il aura à s'entraîner pour développer des nouvelles habitudes.

On peut imaginer le même phénomène chez l'enfant qui éprouve des difficultés scolaires, mais qui se débrouille très bien au hockey ou qui performe aux échecs. Comment évoque-t-il au hockey ? Quel projet a-t-il lorsque son entraîneur lui explique le jeu ? Comment évoque-t-il la partie d'échecs ? Anticipe-t-il les prochains mouvements des pièces par des évocations visuelles ou auditives ? Bref, comment s'y prend-il pour apprendre ?

Évoquer le bon contenu

Un élève, en lisant un poème narratif, se construit des images visuelles concrètes de l'histoire. Il voit la scène et les personnages. Cela lui permet d'en dégager l'idée principale. Toutefois, lorsqu'il se retrouve face à la classe avec la tâche de réciter le poème, ce ne seront peut-être pas les mots ni les phrases qui lui reviendront, mais des images des personnages et de l'action. Au lieu de réciter le poème, il décrira peut-être ce qu'il voit dans ses images. On ne peut pas dire de cet élève qu'il n'a pas étudié ou qu'il manque d'aptitude à mémoriser, mais on peut affirmer qu'il n'a pas évoqué le poème en fonction de la tâche exigée, celle de réciter, tels quels, les mots du poème.

Il ne s'agit pas de lui dire de ne pas évoquer la scène, mais plutôt de partir de ses évocations d'images concrètes et d'en construire d'autres qui impliquent les mots. Ensuite, on comparera son récit avec le poème en question afin qu'il voie les différences et les similitudes pour ensuite les évoquer, probablement visuellement et, possiblement, verbalement ou auditivement, en respectant les mots du poème. Il pourra revoir les mots ou les redire/réentendre. Une attention particulière sera portée aux mots de liaison (car, pendant, lorsque…), car ils sont plus difficiles à évoquer concrètement.

Un élève qui lit le même poème narratif avec le projet de se le raconter aura autant de difficulté, car il parlera de «l'histoire» du poème au lieu de le réciter tel quel. Il devra donc partir de son «histoire» pour aller vers les mots précis du poème.

> Justine s'était inventé une phrase comme exemple pour s'aider à accorder le participe passé employé avec l'auxiliaire être : *Les plantes sont déchiquetées*. Toutefois, lorsque venait le moment de rappeler cette évocation afin de faire son accord, c'est l'image **concrète** des plantes toutes déchiquetées qui lui revenait. Ce qui ne lui était d'aucune aide pour appliquer la règle. Lors du dialogue pédagogique[11], elle a décidé de partir de son évocation visuelle concrète pour aller ensuite vers une évocation visuelle des **mots écrits** de sa phrase exemple. Ce mouvement mental lui permit de mieux s'y référer pour faire ses accords de participes passés employés avec l'auxiliaire être.

On rencontre souvent une situation similaire chez les jeunes qui commencent à apprendre à écrire. En effet, beaucoup enfants de cet âge évoquent l'image concrète, par exemple celle d'un *chat* qui dort au lieu des lettres du mot chat. Il importe donc de s'informer du contenu de leur évocation afin de s'assurer qu'il est utile pour la tâche exigée. Dans le cas contraire, on part de l'évocation présente (par exemple, l'image concrète d'un chat qui dort) et on prolonge vers l'évocation visuelle ou auditive des lettres du mot.

---

11. Le dialogue pédagogique, notion que nous avons déjà rencontrée au début de cet ouvrage, vise, lors d'une entrevue entre l'enseignant et l'élève, à faire ressortir le fonctionnement mental de l'élève face à une tâche précise. Des hypothèses de fonctionnement sont élaborées puis des méthodes sont proposées en fonction de la gestion mentale.

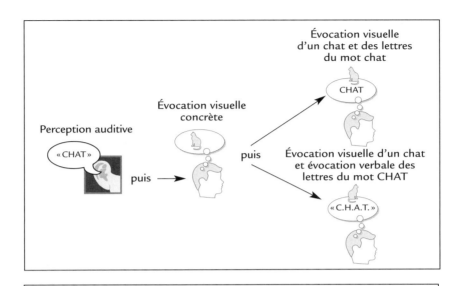

Voici une évocation de Julie. On remarquera qu'elle utilise plus d'une forme de contenu pour se représenter le mot château. Son projet est de se rappeler l'orthographe du mot. Elle explique son évocation en mentionnant qu'elle sait de quoi il s'agit (la signification du mot) par le dessin inédit (imaginaire) représentant un château. Le toit des tours et tourelles lui font penser à l'accent circonflexe sur la lettre a et l'«eau» écrit en lettre (symbole) lui rappelle la graphie du son [o]. Elle aurait voulu y ajouter le dessin d'un chat au centre mais, après discussion, elle a réalisé que ça l'amusait, mais que ce n'était pas nécessaire pour son projet de se rappeler de l'orthographe du mot. Julie est une élève reconnue pour avoir beaucoup d'imagination. Elle a grand intérêt à prendre conscience des avantages et des inconvénients d'une telle habitude mentale. Ici, elle a su en tirer partie.

Regardons le dessin d'un château sur pilotis avec l'accent mis sur les toits et les lettres «eau» du mot château.

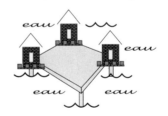

Savoir changer de formes évocatives

Je pars pour le marché d'alimentation et je me rends compte que j'ai oublié ma liste. Je m'efforce de la revoir mentalement et certains articles me viennent à l'esprit. Je les vois écrits sur le bout de papier. Toutefois, certains articles ne me reviennent pas à la mémoire. Je décide de cesser d'évoquer visuellement la liste et je me remémore l'entretien que j'ai eu avec mon conjoint au sujet des prochains repas. Je nous entends en discuter. D'autres articles me reviennent alors à l'esprit. Je suis donc passé des formes visuelles aux formes auditives.

Perte temporaire des apprentissages

Comme parents ou comme enseignants, il nous est presque tous arrivé, en début d'année scolaire, de s'étonner ou parfois même de se décourager en constatant que les enfants semblaient avoir peu retenu de leur année précédente. En fait, pour la très grande majorité des enfants, il est tout à fait normal, face à une nouvelle enseignante qui procède d'une manière différente, d'avoir à ajuster son projet d'avenir. L'élève ne sera ni évalué ni préparé de la même manière. Cela suffit pour qu'il ait ce qu'on appelle une perte provisoire des acquis. On ne doit pas s'en inquiéter outre mesure. Soyons plutôt vigilants en donnant d'abord le temps aux enfants de s'adapter et en leur rappelant les notions déjà vues. Encore une fois, il est important de les aviser que cette perte est temporaire et de leur assurer que le contenu est le même, mais que c'est le contexte qui diffère.

Nous observons aussi des pertes provisoires d'acquis à différentes occasions. En effet, lorsque nous apprenons une nouvelle règle de grammaire, une nouvelle chorégraphie ou un nouveau mouvement complexe au karaté, il peut nous arriver d'oublier temporairement d'appliquer une règle qu'on avait pourtant bien intégrée, ou les pas d'une chorégraphie déjà bien pratiquée, ou une séquence de mouvements de karaté dont on avait pourtant bien saisi l'enchaînement. Il s'agit d'abord de ne pas s'inquiéter de cet « oubli », de poursuivre l'apprentissage et la pratique de la nouveauté et, lorsque celle-ci sera intégrée, de prendre le temps de mettre dans son projet d'avenir l'application des acquis passés et celle des nouveaux, tout en prenant un peu de temps pour réviser l'acquis précédent. Il peut s'avérer nécessaire de comparer les acquis passés et les nouveaux en faisant ressortir leurs similitudes et leurs différences afin d'en favoriser la compréhension. En dégageant des similitudes et des différences entre les notions apprises ou en apprentissage, on ouvre la voie à la compréhension et à la réflexion.

Et le stress?

Lorsque l'enfant vit une situation stressante, il est bien d'essayer de faire ressurgir le souvenir d'un succès. Toutefois lorsqu'il est dans une telle situation, il est souvent difficile, parfois même impossible, d'amener un enfant à se souvenir d'un succès antérieur.

La pédagogie des gestes mentaux, notamment celle du geste de mémorisation, permet d'intervenir autrement et à un autre moment, favorisant ainsi la diminution du stress. Il est plus efficace d'amener l'enfant à prendre conscience que le succès qu'il vit aujourd'hui pourra lui être utile dans des moments plus difficiles. En effet, c'est au moment où il vit son succès qu'il est disponible pour analyser sa démarche et pour se projeter dans l'avenir. On lui fait évoquer la situation vécue avec succès en lui demandant de nous décrire les images ou les paroles qu'il se dit dans cette situation puis, dans un second temps, il doit évoquer ce qu'il pourrait voir, se dire ou entendre lorsque viendra ce moment plus difficile.

Lorsque ce moment se présentera, on lui rappellera, au besoin, qu'il doit réévoquer ce qu'il avait prévu pour une telle situation. Il aura sûrement besoin de pratique et de se faire dire de ne pas se décourager. Il faut l'aviser que ces situations sont tout à fait normales et qu'il en rencontrera toute sa vie. Il s'agit de se prémunir contre le stress, afin que ces moments exigeants pour l'enfant soient vécus le plus sereinement possible.

> L'enfant réussit à accorder ses verbes lors d'un exercice ou d'un devoir. On l'invite à évoquer les stratégies qu'il a employées en se projetant dans une situation qui le stresse – une dictée par exemple – , faisant revenir ses stratégies à sa mémoire et les utilisant avec succès.

Réactivation des évocations

Évoquer le présent et préparer l'avenir ne suffit pas toujours. En effet, plusieurs contenus d'apprentissage exigent de la réévocation. Mémoriser l'orthographe des mots de vocabulaire, les tables de multiplication, une présentation orale, un numéro de téléphone, une chorégraphie, un plan de match de football en ne l'évoquant qu'une seule fois, même avec des projets d'avenir diversifiés, ne suffit pas pour performer lors de leur mise en œuvre. On aura besoin, en plus, de pratiquer le rappel de l'évocation à plusieurs reprises durant les jours, les semaines ou les mois qui suivent, selon la complexité du contenu d'apprentissage.

Pour qu'une nouvelle information soit acquise de façon permanente, il a été démontré que cela exigeait des rappels après 10 minutes, puis après 24 heures, 1 semaine, 1 mois et 6 mois. On doit admettre qu'en pratique, ce n'est pas toujours possible et que ce sera parfois même insuffisant. On peut difficilement demander à un élève du secondaire (12 à 17 ans) de repenser à son cours 10 minutes après sa fin alors qu'il est de nouveau en classe, attentif à une autre matière. Toutefois, on comprend qu'il est essentiel de réévoquer, le soir venu, les matières vues au cours de la journée, et d'en faire la récapitulation dans les jours qui suivent. Et cela, surtout si l'enseignant n'évalue pas souvent ou donne peu ou pas de travaux permettant un retour sur la matière.

Des activités qui encouragent la réévocation sont présentées au chapitre 6.

RAPPEL

✓ Revoyons, en bref, les étapes que requiert le geste de mémorisation :
  · avoir le projet de retrouver dans l'avenir ses évocations en imaginant l'utilisation à en faire ;
  · évoquer l'objet de perception, c'est-à-dire pratiquer le geste d'attention, écouter ou regarder avec le projet d'évoquer visuellement, verbalement ou auditivement ce qui est donné en perception ;
  · placer les évocations dans un imaginaire d'avenir ;
  · rappeler les évocations mémorisées, c'est-à-dire réévoquer jusqu'à ce que les informations soient évoquées aisément et conformément à l'objet d'apprentissage.

✓ Consigne à donner à son enfant :
  « Imagine-toi des moments et des endroits où tu auras à utiliser ces images et ces mots. Réévoque (ou pratique dans ta tête) de temps à autre jusqu'à ce que ce soit bien su. »
  L'emploi du verbe imaginer (plus neutre que les termes voir, entendre et dire) ouvre autant aux évocations visuelles qu'auditives ou verbales.

✓ Il ne suffit pas de revoir, de répéter ou de refaire sans cesse les exercices pour s'en souvenir. Il faut passer par l'évocation.

✓ C'est à force d'entraînement au projet d'avenir, en se mettant en projet de rendre disponible pour l'avenir ce qu'on veut conserver que le nombre de réactivations pourra diminuer.

✓ Plus on aura de projets d'avenir diversifiés, plus nos acquis seront flexibles et disponibles pour différentes situations.

Deuxième partie

La pratique des gestes mentaux
de l'école à la maison

Nous vous présentons, au chapitre 5, des activités qui vous permettront de dégager les formes évocatives favorisées par votre enfant afin de l'amener à en prendre conscience. Il s'agit d'exercices qui peuvent se faire en famille et dont l'objectif est de constater la diversité des fonctionnements en plus d'offrir d'autres manières d'évoquer sans qu'elles soient imposées.

Dans les deux chapitres suivants nous verrons des activités scolaires d'apprentissage que nous sommes appelés à rencontrer lors de la période des devoirs et des leçons, entre autres, et des exemples d'activités familiales où l'on interviendra avec les notions de la pédagogie des gestes mentaux examinées jusqu'à maintenant.

Il est à conseiller aux personnes qui commencent la lecture du livre par la deuxième partie de lire les rappels des chapitres 3 et 4 en pages 62 et 74 ainsi que le lexique qui se trouve en page 131.

Chapitre 5

Les habitudes mentales

« Non, vraiment, ma mère et moi évoquons
différemment, c'est clair. »

Anna

À la découverte des habitudes mentales

Observons l'enfant

Avant de réaliser des activités, vous pouvez observer votre enfant dans différentes situations de la vie quotidienne. Est-il habile manuellement ? Est-il bon dans les sports ? Si tel est le cas, il favorise probablement les évocations visuelles (images qui se sont construites mentalement) et gère bien l'espace. Est-il plutôt le genre d'enfant qui a appris à parler tôt et qui relate des histoires en respectant la chronologie ? Si tel est le cas, il favorise probablement les évocations auditives (mots que l'on entend mentalement) et gère bien le temps. Préfère-t-il qu'on lui explique les mouvements de la nage, car ce sont les mots qui lui apportent le sens, ou attend-il la démonstration, car c'est l'image qui le lui procure ?

On rencontre très souvent des jeunes qui performent dans un domaine autre que scolaire, comme le sport par exemple, grâce à leurs évocations spatiales et visuelles, et qui ne pensent pas à en faire autant dans les domaines scolaires, comme l'apprentissage de la géométrie ou des mots d'orthographe d'usage. En les questionnant sur leurs habitudes mentales dans les domaines où ils sont habiles, on peut mettre au jour ces habitudes et entamer un transfert dans les domaines scolaires.

Activités de rappel d'une histoire et d'une reproduction d'un dessin

Tout d'abord, assurez-vous de bien expliquer la différence entre la perception (ce qu'on perçoit est à l'extérieur de soi) et l'évocation (images visuelles, verbales ou auditives que l'on construit mentalement) et demandez à tous ceux qui participent aux activités de prendre le temps de mettre « dans leur tête » ce qu'on leur proposera. Il vous faut aussi les avertir qu'il n'y a pas « une bonne manière » qui convienne à tous, que chacun possède des façons de faire mentalement qui l'aident à être attentif, à mémoriser, à comprendre et à imaginer. Ces activités ont pour but d'aller à la découverte de leurs habitudes d'évoquer pour mieux les utiliser et pour les enrichir.

Il vous faut mentionner le but et le projet mental essentiel de l'activité. Est-ce pour faire un rappel de l'histoire (la raconter dans ses propres mots)? Pour la mémoriser telle quelle (la réciter par cœur en respectant tous les mots du texte)? Pour inventer une nouvelle version? Il faut aussi rappeler les moyens pour parvenir à compléter la tâche. Ce projet de sens, qui est constitué du but et des moyens mentaux pour y parvenir, influence la manière dont les participants construiront leurs évocations.

PERCEPTION SOLLICITÉE	ACTIVITÉ	DESCRIPTION	QUESTIONNEMENT DE L'ACTIVITÉ
Il est essentiel d'offrir des choix de réponses afin d'éviter d'imposer notre façon d'évoquer.			
Auditive	Écouter une courte histoire avec le projet d'en faire un rappel à l'oral, à l'écrit ou à l'aide d'un dessin.	L'adulte lit une histoire aux participants. Ceux-ci écoutent avec le projet[12] d'en faire un rappel ou un dessin par la suite. La lecture terminée, l'adulte demande à chacun de prendre le temps de faire revenir l'histoire **mentalement**[13]. Puis, il les questionne sur leurs formes évocatives en encourageant les échanges et le respect de la différence[14].	✓ Est-ce que l'histoire vous est revenue en entendant votre voix ou celle d'une autre personne la racontant? Ou est-ce plutôt des images qui vous sont apparues? ✓ Faisiez-vous partie de ces images ou étiez-vous spectateur? ✓ Ces images étaient-elles en mouvement, comme dans un film, ou surgissaient-elles les unes à la suite des autres? Comment? Une à côté de l'autre ou encore une qui remplace la précédente? Avez-vous fait des liens avec une autre histoire ou avec votre vécu?

12. Il importe de mentionner le projet **avant** la lecture afin de favoriser la construction d'évocations utiles pour ce type d'activité.

13. Passer directement de la perception à la production (raconter ou dessiner) risque fortement de faire avorter la création des évocations.

14. Rappelons-nous que certaines évocations, particulièrement celles construites à partir de l'inédit (imagination créatrice), ont tout leur sens pour celui qui les crée, mais peuvent paraître loufoques, tirées par les cheveux ou même inutiles pour les autres.

PERCEPTION SOLLICITÉE	ACTIVITÉ	DESCRIPTION	QUESTIONNEMENT DE L'ACTIVITÉ
Il est essentiel d'offrir des choix de réponses afin d'éviter d'imposer notre façon d'évoquer.			
Visuelle	Regarder un dessin d'une scène, d'une forme géométrique complexe pour en faire un rappel à l'oral, à l'écrit ou à l'aide d'un dessin.	L'adulte demande à chacun de regarder un dessin en ayant comme projet de le reproduire de mémoire. Lorsque les participants sont prêts, on retire le dessin et l'adulte demande à chacun de faire revenir le dessin dans sa tête. Puis, il les questionne sur leurs formes évocatives.	✓ Est-ce que le dessin vous est revenu en entendant votre voix ou celle d'une autre personne le décrivant ou est-ce plutôt l'image du dessin qui vous est apparue ? ✓ Est-ce le contour, la forme globale qui est apparue en premier ou plutôt les détails, les éléments la constituant ?

Certaines personnes peuvent évoquer l'emplacement des objets sans pour autant les évoquer visuellement de manière concrète. Elles peuvent évoquer le nom (symbole) ou simplement s'entendre nommer les formes aux endroits appropriés. Il y a plusieurs façons de construire des évocations, et comme nous n'avons pas la possibilité de toutes les décrire, il apparaît important de questionner les participants sur leurs formes d'évocation et leurs habitudes mentales en se basant sur les notions vues dans les chapitres précédents tout en restant ouvert à la diversité.

On remarquera qu'on n'a pas demandé de faire le rappel de l'histoire en soi. On peut, par ailleurs, le proposer à ceux qui le désirent tout en spécifiant qu'ici, on ne vise pas la performance mais l'échange sur les évocations utilisées. Cela dit, si l'adulte se retrouve seul avec son enfant, il est instructif de lui laisser faire son premier rappel puis, après le questionnement sur ses formes évocatives, de l'amener à écouter à nouveau l'histoire en tentant d'enrichir ses évocations. Il constatera l'intérêt d'une telle pratique en remarquant l'amélioration du rappel.

Les raisons possibles d'une difficulté

Il est possible que votre enfant ait de la difficulté à répondre à vos questions concernant ses évocations ou même simplement à faire le rappel de l'histoire ou du dessin. Pour expliquer cette situation, nous vous présentons quelques raisons provenant du domaine de la pédagogie des gestes mentaux. Celles-ci peuvent également expliquer la difficulté des activités d'apprentissage en général.

1. L'enfant n'évoque pas. Il n'a pas le projet de se redonner mentalement par des évocations visuelles, verbales ou auditives ce qu'il perçoit auditivement ou visuellement (l'histoire et le dessin).

2. Il se redonne quelques mots ou images par-ci par-là (évocations pauvres, insuffisantes).

3. Il se redonne seulement des mots ou seulement des images.

Dans cette dernière situation, on doit l'amener tranquillement à se donner des mots dans le prolongement de ses évocations visuelles ou à se donner des images dans le prolongement de ses évocations auditives. On part de sa force pour construire l'autre mode d'évocation.

Par ailleurs, le fait de partager en famille ou en classe différentes formes possibles d'évocation permet à ceux pour qui l'introspection est plus ardue d'être en contact avec plusieurs façons d'évoquer et, ainsi, de se sensibiliser à la présence de la vie mentale.

RAPPEL

✓ Chacun se distingue par le type de contenu qu'il favorise dans ses évocations que l'on décrit à l'aide des différentes catégories (visuel, autovisuel, auditif et verbal) et contenus d'évocation (concrets, automatismes, abstraits et inédits). Nous pouvons voir également où l'enfant se situe par rapport à ses évocations: est-il acteur ou spectateur, narrateur ou auditeur?

✓ Bien que chaque être humain fonctionne davantage avec un mode de représentation auditif, verbal ou visuel, nous devons souvent utiliser un autre mode comme soutien à l'apprentissage.

✓ Lors des différentes activités où l'on veut dégager les formes d'évocation, il est important:

· d'offrir des choix de réponse afin d'éviter d'imposer notre fonctionnement;

· que le questionnement porte sur les évocations (sur le *comment* l'enfant met dans sa tête);

· que l'enfant sente que ce n'est pas la performance qui est visée mais les moyens qu'on emprunte pour y arriver et la prise de conscience de ses formes évocatives.

✓ C'est au plan des évocations qu'il faut intervenir, car sans elles, les apprentissages sont impossibles.

✓ Ce sont les moyens qui sont transférables et non la performance.

✓ Enfin, rappelons-nous de permettre à chacun d'aller à son propre rythme.

Chapitre 6

Les activités d'apprentissage autour de la période des devoirs et des leçons

*« Depuis que j'essaie d'imaginer les problèmes, j'aime faire
de la résolution de problèmes (mathématiques). »*

Justine

Nous allons maintenant regarder certaines activités d'apprentissage scolaires et les aborder sous l'angle de la pédagogie des gestes mentaux. Nous tenterons de rendre plus concret et plus explicite le genre d'interventions souhaitées dont l'objectif est d'aider ou d'accompagner votre enfant dans certains de ses apprentissages : la mémorisation des tables de multiplication et de division, la résolution de problèmes mathématiques, la mémorisation de l'orthographe d'usage et la compréhension en lecture. Puis, nous présenterons des activités qui favorisent l'auto-évaluation et le transfert des apprentissages : les pauses retour, les couleurs dans l'agenda et une adaptation pour les jeunes à partir du secondaire.

La mémorisation des tables de multiplication et de division

Il n'est pas facile d'aider son enfant en mathématiques, car les méthodes d'enseignement ont changé au cours des dernières années et diffèrent parfois d'une école à l'autre. Au-delà de ces difficultés, on peut quand même s'assurer que notre enfant maîtrise bien ses tables de multiplication et de division.

Dès la 3ᵉ année du primaire (8 ans), le concept de la multiplication est abordé et on commence à encourager les élèves à mémoriser les tables. À toutes les semaines et jusqu'à la fin du primaire (11 ans), les enseignants stimulent la mémorisation des tables par le biais de concours, de tests, de jeux, etc. Malgré cela, un trop grand nombre d'élèves franchissent les portes du secondaire sans avoir automatisé la connaissance des tables de multiplication. Ils en souffriront tout au long de leurs études en mathématiques, notamment en surchargeant leur mémoire de travail lors de la résolution de problèmes.

Connaissant maintenant les conditions nécessaires pour que la mémorisation soit efficace (évocation, projet d'avenir et réévocation), la façon de s'y prendre pour mémoriser les tables nous apparaît plus claire. Rappelons-nous ces conditions déjà longuement expliquées au chapitre 4 tout en les situant dans un contexte d'apprentissage des tables de multiplication.

CONDITIONS NÉCESSAIRES POUR QUE LA MÉMORISATION SOIT EFFICACE	
1re condition : perception visuelle ou auditive avec un projet d'évocation (geste d'attention et un projet d'avenir)	Je regarde l'équation ou j'écoute quelqu'un me dire l'équation en ayant le projet d'en faire une évocation et de la garder en mémoire à long terme (pour les concours à l'école, pour les résolutions de problèmes, pour des situations de la vie quotidienne telle que la planification du nombre de biscuits nécessaires pour une fête d'amis, etc.)
2e condition : évocation	Je construis mon évocation visuelle ou verbale (ces deux appellations comprennent aussi les évocations autovisuelles et auditives). **Ex. (évocations visuelles et verbales) :** je me dis l'équation « cinq fois sept égale trente-cinq » ($5 \times 7 = 35$) qui me permet de la voir dans ma tête. J'en profite pour me dire que je peux intervertir le 5 et le 7 qui donnera 35 aussi ($7 \times 5 = 35$), et que je peux lire à l'envers pour avoir accès à la division $35 \div 5 = 7$. Je peux aussi me demander « 5 fois quoi égale 35 ? ». **Ex. (évocation verbale) :** je chante[15] ou je rythme les tables. **Ex. (évocation visuelle) :** je prends une « photo » mentale de l'équation $5 \times 7 = 35$ et je fais disparaître un des trois nombres pour voir $5 \times\ \ = 35,$ $\ \ \times 7 = 35$ et $5 \times 7 =\ \ .$ **Ex. (évocations verbales ou visuelles) :** j'invente* ou j'utilise des trucs divers qu'on me montre et que j'évoque. **Ex. : (évocations surtout retrouvées chez les personnes qui favorisent les évocations verbales. Elles prennent un peu plus de temps mais peuvent s'avérer très efficaces) :** je prends une équation que je connais et j'ajoute, je soustrais ou je multiplie un nombre.

15. À ce propos, il existe un disque compact où l'on retrouve les tables de multiplication chantées. *Le rap 3R* de Sarah Jordan.

CONDITIONS NÉCESSAIRES POUR QUE LA MÉMORISATION SOIT EFFICACE	

	6 x 3 = ?
	        Je connais : 6 x 2 = 12 et 12 + 6 = 18 ;
	
	9 x 9 = ?
	        Je connais : 9 x 10 = 90 et 90 − 9 = 81 ;
	
	3 x 6 = (3 x 3) + (3 x 3)
	      9 + 9 = 18 ;
	
	4 x 7 = (2 x 7) + (2 x 7)
	      14 + 14 = 28.
	             Etc.
	
	Certaines stratégies (ou trucs) empruntées par l'enfant peuvent nous apparaître « tirées par les cheveux » ou même loufoques. Elles ne seront sûrement pas transférables d'une personne à l'autre, mais l'important est qu'elles fonctionnent, et rapidement.

3ᵉ condition : réactivation (pratique)	Tel que mentionné au chapitre traitant de la mémorisation, il est **indispensable** de pratiquer la réévocation. En ce qui concerne les tables de multiplication, la fréquence sera beaucoup plus serrée, car on vise une automatisation (une réponse en dedans de 2 secondes). Nous appellerons cette étape « *obsession tables* », avec humour bien sûr ! Il est vivement suggéré de miser plus sur la régularité et la qualité que sur la quantité. Cinq à dix minutes par jour – **tous les jours** – (même les fins de semaine) et une à cinq équations choisies par jour (selon les capacités de l'enfant) se révéleront beaucoup plus efficaces qu'une demi-heure à raison d'une fois par semaine. **Et cela fonctionne si on est persévérant et constant !**
4ᵉ condition : projet d'avenir	Il est important de diversifier les manières de lui demander les tables (par écrit, oralement, dans un contexte de jeu ou de concours, dans la voiture, etc.) et de lui rappeler qu'il doit, au moment même où il les évoque, s'imaginer dans diverses situations d'utilisation (contrôles et jeux en classe, application des équations dans les résolutions de problèmes, situations vécues au quotidien...).

Certaines tables ont des caractéristiques particulières qui permettent d'alléger leur mémorisation. Par exemple, la plus connue est celle du 10 où l'on n'a qu'à ajouter un 0 au nombre en question. Certains diront plutôt qu'on doit remplacer le 1 du 10 par le nombre en question. Les deux méthodes (ou trucs) sont efficaces et permettent l'apprentissage d'une table plus rapidement. D'autres tables ont leur spécificité. Idéalement, on amènera l'enfant à les découvrir avec un peu d'aide de notre part si nécessaire.

Voici quelques observations que l'on peut amener l'enfant à découvrir. La pratique nous a amené à emprunter souvent le même ordre de présentation. Quoiqu'efficace la plupart du temps, il n'est pas obligatoire, car certains préfèrent débuter avec les tables plus difficiles.

Les tables de 0 et 1

Assurons-nous d'abord que l'enfant sait bien les tables de 0 et de 1. Selon l'âge, ses acquis et ses difficultés, on peut surligner ces deux tables, si elles sont acquises, et leurs correspondants horizontaux. Autrement, il faudra lui faire découvrir ou lui montrer le truc de la multiplication par 0 qui donne toujours 0 et celui de la multiplication par 1 qui donne toujours le nombre lui-même.

Il peut se révéler important d'expliquer à certains enfants le pourquoi de certaines régularités afin d'accéder à la mémorisation des tables. Ils doivent passer par la compréhension des concepts de multiplication et de division avant d'accéder à la mémorisation, tandis que d'autres n'ont pas besoin de comprendre pour mémoriser. Ajoutons que ces derniers ne sont pas pour autant moins «réfléchis», car n'oublions pas que l'objectif est d'automatiser les tables. C'est-à-dire de les connaître par cœur sans avoir besoin de calculer. Certains auront même accès au sens de la multiplication plus facilement lorsqu'ils auront mémorisé les tables. Spécifions, ici, que c'est en classe qu'on se charge de travailler les concepts de multiplication et de division et que c'est en classe qu'on échangera sur les stratégies de mémorisation. À la maison, on peut aussi échanger sur les stratégies, en faisant attention de ne pas en imposer, puis on mettra l'accent sur la réactivation quotidienne tout en rappelant, de temps à autre, l'importance de s'imaginer en train de les réutiliser dans différents contextes.

Les tables de 10 et 11

On passera ensuite aux tables de 10 et de 11 pour lesquelles les enfants peuvent tenter de découvrir par eux-mêmes qu'on ajoute un 0 au chiffre en question pour la table de 10, et qu'on le double si on le multiplie par 11.

Laissez le temps à l'enfant de faire sa propre découverte. Il aura ainsi plus de facilité à s'en rappeler que si on lui donne «tout cru dans le bec».

On doit pratiquer les tables de différentes façons en sollicitant toujours l'évocation afin de les rendre les plus flexibles possibles. Assurez-vous que vous demandez à l'enfant de pratiquer ses tables de différentes façons, en alternant avec les tables qu'il connaît bien et en y intégrant les nouvelles.

10 x 4 =   4 x 10 =

Qu'est-ce qui fait 40?   4 x quoi = 40?   40 ÷ 10 =   40 ÷ 4 =

Par la suite, on prendra soin de surligner les tables au fur et à mesure qu'elles seront bien acquises. Il est toujours encourageant de voir concrètement la couleur du surligneur envahir les colonnes de tables.

Quelques autres trucs relatifs à d'autres tables peuvent aussi être utiles.

La table de 5

Les produits (réponses de la multiplication) se terminent toujours par 5 ou 0. Par 5 pour les nombres impairs et par 0 pour les nombres pairs. On remarque aussi que, pour les nombres pairs, le premier chiffre de la réponse correspond à la moitié du nombre que l'on multiplie par 5.

8 x 5 = 40 (4 est la moitié de 8)	7 x 5 = 35
nombre pair x 5 =	nombre impair x 5 =
réponse qui finit par 0	réponse qui finit par 5

La fameuse équation 7 x 8 = 56

Souvent plus difficile pour plusieurs, cette équation peut se présenter ainsi: 5, 6, 7, 8 en ordre croissant. 56 = 7 x 8.

La table de 9

La somme des chiffres occupant la place des unités et des dizaines du produit (réponse de la multiplication) est de 9.

Par exemple: 9 x 2 = 18 (1 + 8 = 9), 9 x 5 = 45 (4 + 5 = 9).

Ou encore, on soustrait 1 au deuxième facteur (ou celui qui n'est pas le 9) pour nous donner le chiffre qui occupe la place des dizaines de la réponse, puis on trouve le chiffre occupant la place des unités de la réponse en posant l'écart entre ce premier chiffre et 9.

Par exemple: 9 x 7 = 63

On prend le 7, on lui soustrait 1, ce qui donne 6, les dizaines de la réponse.

Puis on trouve la différence entre le 9 et le 6 (9 − 6) ce qui donne 3, les unités de la réponse.

Il y a aussi le truc amusant des mains que l'on met devant soi, les doigts bien écartés et les pouces côte à côte. En partant de la gauche, on plie le doigt qui correspond au chiffre qu'on multiplie par 9, puis on compte le nombre de doigts qu'il y a à gauche de celui-ci et cela donne le chiffre correspondant aux dizaines de la réponse, et par la suite on compte le nombre de chiffres à la droite du même doigt plié, et cela donne les chiffres correspondant aux unités de la réponse.

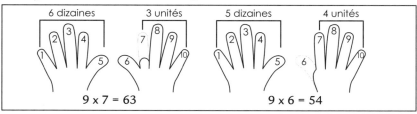

Attention! Il faut laisser les enfants choisir s'ils désirent conserver les trucs ou pas. Il ne s'agit pas d'alourdir leur tâche. Rappelons-nous aussi que ces trucs sont destinés à permettre l'évocation sans le calcul et qu'à force de les pratiquer, on peut s'en passer, car les tables sont finalement automatisées.

Phase de sevrage ou comment conserver ses tables mémorisées

Lorsque toutes les tables sont mémorisées, il faut se garder de dormir sur ses lauriers en pensant que le travail est accompli. Combien d'enfants ont travaillé très fort et de manière soutenue à l'apprentissage des tables jusqu'au mois de juin et qui, au retour des vacances d'été ne s'en souviennent que partiellement parce qu'ils n'ont pas pratiqué la réactivation! Par conséquent, il est *fortement* conseillé, une fois les tables apprises, de prendre une pause d'une semaine, puis de faire un retour sur celles-ci, par des jeux ou par des exercices écrits ou verbaux, pour s'assurer qu'elles sont toujours en place et pour rappeler celles qui ont été oubliées. Lorsqu'on constate que les tables sont solidement en place après une pause d'une semaine, on arrête pendant deux semaines avant de refaire une pratique permettant la réactivation. Et ainsi de suite. C'est la période dite de sevrage! Présentez-la à votre enfant de cette manière en lui en expliquant les raisons et il s'y conformera avec plus de facilité.

Les jeux, un projet d'avenir et une occasion de pratiquer la réactivation

Les jeux offrent l'occasion de pratiquer la réactivation de manière amusante. On propose donc à l'enfant de mémoriser, par exemple, trois équations à chaque deux jours[16]; ce sont ces équations, ajoutées

---

16. Le nombre d'équations se fait en fonction des difficultés et des facilités de l'enfant. Laissons-lui le choix. Il pourra juger à la fin de la semaine s'il s'était surévalué ou si au contraire il peut augmenter la cadence.

à celles qui sont déjà mémorisées, qu'on pratique sous la forme de jeux. Assurons-nous que les équations soient bien évoquées avant de jouer !

La persévérance

Des parents se plaignent que leurs enfants ne fournissent pas d'efforts ou, s'ils en font, qu'ils ne persévèrent pas. Pourtant, ces qualités s'enseignent. Il faut prendre le temps de leur montrer et de leur en donner l'exemple par nos propres agissements. Différentes activités scolaires ou parascolaires offrent l'occasion d'apprivoiser l'effort et la persévérance. La mémorisation des tables de multiplication en est un bon exemple. En effet, elle exige beaucoup d'efforts, mais surtout de la persévérance, tant de la part de l'enfant que de celle du parent.

Lorsque l'enfant aura réussi l'apprentissage des tables, il ne faut pas manquer de le féliciter pour sa performance, mais surtout pour les efforts et la persévérance qu'il a dû fournir tout au long de ces semaines. Par la suite, on l'amènera à prendre conscience de la fierté qu'on éprouve lorsqu'on atteint son but et à imaginer d'autres situations où il aura à déployer une telle persévérance et autant d'efforts. Ceci favorisera le transfert des qualités telles que la persévérance, la constance et l'effort vers d'autres situations.

La résolution de problèmes de mathématiques

Comment aider notre enfant à résoudre un problème de mathématiques ?

Vous pouvez vous inspirer du tableau suivant pour discuter avec votre enfant de sa façon de résoudre des problèmes. Il ne suffit pas que le parent croie connaître la cause de la difficulté de son enfant ; il doit vérifier son hypothèse avec lui, car c'est ce dernier qui détient sa vérité, qu'il faudra accepter et respecter. Le parent peut accompagner son enfant dans la recherche de son fonctionnement et proposer différentes façons de faire tout en s'assurant de ne pas les imposer.

La plupart des hypothèses explicatives sont indiquées dans le tableau. Vos observations ainsi que le comportement de l'enfant vous porteront à adopter l'une ou l'autre des suggestions d'aide.

Les difficultés qui peuvent être rencontrées et/ou les comportements observés chez l'enfant.	Hypothèses explicatives	Suggestions d'aide à apporter
• Il dit ne pas comprendre. • Il se plaint qu'il y a trop de mots et qu'il s'y perd.	• Il a une difficulté de décodage de mots. et/ou • Il ne comprend pas le sens de plusieurs mots. et/ou • Il n'évoque pas le problème et/ou la question.	• Lui lire le problème afin d'éliminer l'obstacle du décodage et ainsi travailler la résolution du problème mathématique en soi et non la capacité à lire. et/ou • Lui expliquer le sens des mots et l'amener à l'évoquer. *Concernant ces deux suggestions, il serait bien de vérifier avec l'enseignante si elle a noté cette difficulté qui pourrait, en fait, ne pas relever des mathématiques, mais plutôt de la mécanique de la lecture et/ou du manque de vocabulaire.* et/ou • L'amener à évoquer le problème comme une histoire qu'il lit sans chercher la solution. Faire évoquer phrase par phrase ou partie de phrase par partie de phrase. Puis, une fois l'histoire évoquée, passer à la question posée.
• Il est bloqué, paralysé. • Il lit et relit plusieurs fois le problème. • Il fait des tentatives en manipulant les nombres, en inventant une équation qui ne respecte pas le sens du problème.	• Il vit une émotion paralysante. et/ou • Il manque de confiance en lui et se sous-estime. • Il n'évoque pas le problème. et/ou • Il mémorise le problème sans lui donner de sens. et/ou • Il prend le problème tel quel, ne pense pas à le traduire dans ses mots et ses images. Il demeure spectateur/auditeur.	• L'amener à évoquer le problème en retirant le texte de sa perception (de son regard) après avoir pris soin de l'avertir que vous agirez ainsi. Puis, il doit relire en confrontant ce qu'il a évoqué (mentalement) et le problème écrit (dans son livre) jusqu'à ce que le sens soit respecté et saisi. et/ou • L'amener à évoquer phrase par phrase ou partie de phrase par partie de phrase si le problème s'avère trop long ou si l'enfant a de la difficulté à évoquer. Une lecture préalable par l'adulte peut être nécessaire.

Les difficultés qui peuvent être rencontrées et/ou les comportements observés chez l'enfant.	Hypothèses explicatives	Suggestions d'aide à apporter
		et/ou • L'amener à évoquer le problème comme s'il en faisait partie (acteur/narrateur) et/ou à transférer le problème dans un contexte connu. et/ou • Diminuer la valeur des nombres du problème. et/ou • Partir de ses propres évocations et lui demander de redire dans ses propres mots, phrase par phrase, ou de décrire les images qu'il se fait à partir des phrases lues.
• Il travaille vite. • Il semble répondre n'importe quoi. • Il est impulsif. • Il passe à l'action aussitôt le problème lu, parfois même avant de lire la question.	• Il vit une émotion précipitante. et/ou • Il fuit, dans l'action, un sentiment d'incompétence. et/ou • Il a trop confiance et se surestime. et/ou • Il recherche la production (la quantité). et/ou • Il ne lit pas tout le problème. et/ou • Il omet d'évoquer le problème (ou une partie de celui-ci) et/ou la question. et/ou • Il a peur de perdre le sens du problème. Il s'empresse de répondre.	• L'amener à évoquer le problème comme une histoire qu'il lit sans chercher la solution. et/ou • L'amener à ce qu'il confronte ses évocations au problème par des allers-retours entre la perception (le problème écrit) et la description de son évocation. et/ou • Cacher la question. Lui demander de tenter de la deviner. Discuter avec lui de la plausibilité de son hypothèse (qui peut s'avérer possible, mais qui n'est pas nécessairement celle à laquelle a pensé l'auteur), puis la confronter à la question du problème.

Les difficultés qui peuvent être rencontrées et/ou les comportements observés chez l'enfant.	Hypothèses explicatives	Suggestions d'aide à apporter
	et/ou • Au cours de la lecture du problème, il devine déjà la question qui sera posée, mais oublie de vérifier son hypothèse. et/ou • Il ne confronte pas (ne vérifie pas) ses évocations et hypothèses de sens à l'objet de perception (le problème écrit). Il demeure acteur/narrateur. et/ou • Il a l'idée globale, mais oublie de considérer la séquence et des détails importants.	et/ou • Enlever les nombres du problème pour les remettre une fois le sens du problème saisi. et/ou • Lui demander d'expliquer ou de dessiner les étapes du problème. et/ou • Une fois qu'il aura répondu, l'amener à retourner, en évocation, à la question du problème afin de s'assurer qu'il y répond vraiment. Il doit jouer le rôle de spectateur/auditeur. *Cette étape peut être difficile car, pour un enfant le moindrement impulsif, le problème est résolu lorsque la réponse est trouvée. Il faut qu'il sache bien que le problème n'est pas élucidé tant et aussi longtemps qu'il n'a pas reçu le sceau d'approbation qui vient avec la vérification de la question.*

Vous trouverez ci-dessous le mot à mot d'un exemple type qui illustre assez bien la situation des élèves pris dans une émotion précipitante lors d'une résolution de problème de 5e année (10 ans).

Exemple type d'un problème

Pour fêter la victoire de l'équipe de football, Papa et l'entraîneur ont acheté cinq boîtes contenant chacune sept douzaines de beignets. Le vendeur leur a fait cadeau d'un beignet supplémentaire pour chaque douzaine achetée. Combien de beignets pourrons-nous manger ?

Après avoir lu le problème deux fois, comme le spécifie la consigne, Pierre donne sa réponse : 35. Que celle-ci soit bonne ou mauvaise, il est important de ne pas en informer Pierre pour l'instant.

En effet, si on l'informe qu'il n'a pas la bonne réponse, il se remettra aussitôt à tenter de trouver une autre réponse et on s'éloignerait de l'objectif. D'un autre côté, si on lui dit qu'elle est bonne, il y a bien des chances que Pierre ne soit pas attentif au questionnement qu'on lui présentera sur la manière dont il s'y est pris, car il aurait, selon lui, atteint son but : la réponse ! Peu importe comment il y est parvenu.

José :

Voilà donc ta réponse. En es-tu certain ou préfères-tu dire que c'est une hypothèse ?

On lui offre la possibilité d'émettre une hypothèse afin de ne pas le brimer dans son besoin impulsif de répondre et pour qu'il prenne l'habitude de vérifier, car émettre une hypothèse implique qu'on doive la vérifier. De plus, il est moins difficile de se faire dire que son hypothèse n'est pas bonne plutôt que d'apprendre que sa réponse est fausse. Quoi qu'il en soit, on soulève un doute, ce qui fait très souvent défaut chez les enfants plutôt impulsifs.

Pierre :

Est-ce qu'elle est bonne ?

Pierre est clairement à la recherche de la bonne réponse plutôt que d'une démarche. Au cours d'une autre résolution de problème, on pourra lui donner la réponse avant même qu'il ait lu le problème. C'est une autre façon de lui faire saisir l'importance de la prise de conscience des moyens qu'il prend pour résoudre un problème plutôt que la réponse elle-même.

José :

Je n'en sais rien pour l'instant, mais je suis beaucoup plus intéressée par la manière dont tu t'y es pris pour arriver à cette réponse que par la réponse en soi.

Pierre :

Hum... Je ne sais pas comment. Je le sais, c'est tout.

José :

D'accord, je veux bien. Voilà ce que je te propose. Prenons ta réponse comme une hypothèse à vérifier et écrivons-la ici sur la feuille. Maintenant, j'aimerais que tu me racontes ce que tu as lu.

Pierre tente aussitôt de s'emparer du cahier pour me lire le problème.

José :

Aimerais-tu le relire pour le mettre dans ta tête afin que tu puisses me le raconter ?

Pierre :

Non, non, je sais : « Pour fêter la victoire de l'équipe de football, l'entraîneur a cinq boîtes de sept beignets. Ça fait combien en tout ? »

On constate qu'il lui manque des informations mais, pour l'instant, ce qui nous intéresse, ce sont les évocations.

José :

Ces informations, tu te les racontes ou tu les entends dans ta tête ? T'es-tu fait des images de l'histoire ou vois-tu les mots du problème dans ta tête ? Ou bien fais-tu autre chose ?

Pause évocation

Pierre :

Je vois un peu les mots du problème. Je vois les nombres... Alors, je fais 5 x 7 = 35.

On comprend que Pierre n'a évoqué que les nombres mais pas l'histoire.

José :

Bien. Maintenant, allons relire le problème ensemble en arrêtant à chaque partie du texte afin de s'assurer qu'on a bien compris : « **Pour fêter la victoire de l'équipe de football** », arrêtons à cette virgule. Tu as déjà participé à une grande fête ?

Pause évocation

Pierre :

Oui, l'an passé, à la chorale de mon frère. Nous nous étions installés dans la cour et je me rappelle qu'il faisait très froid.

José :

As-tu des images de cette journée ou te la racontes-tu ?

Pierre :

Je vois tout le monde avec des gros chandails assis sur la pelouse.

José :

Peux-tu en faire autant pour l'histoire du problème ?

Pierre :

Euh... oui, oui, j'ajoute des chandails d'équipe et un ballon de football.

José :

Poursuivons la lecture du problème : « **Papa et l'entraîneur ont acheté cinq boîtes.** » Tu peux imaginer ces personnes avec les cinq boîtes ?

Bien qu'il décrive des évocations visuelles concrètes, on emploie le verbe « imaginer » afin d'ouvrir la possibilité à tout autre type d'évocation.

Pierre :

Je sais qu'il y a deux personnes, mais je ne les vois pas. Je vois des boîtes de beignets.

José :

« **Cinq boîtes de sept douzaines de beignets chacune.** » Comment te représentes-tu cette information ?

Pierre :

Je vois un cinq au-dessus des boîtes et un sept sur les boîtes.

José :

Pourquoi ce cinq et ce sept sont-ils placés à ces endroits précis ?

Pierre :

Ça me dit combien il y a de boîtes, cinq, et combien il y a de beignets dans chacune d'elles, sept. Ça fait 35 beignets.

José :

Relisons pour comparer notre image avec celle de tous les mots du problème.

Pierre :

« Cinq boîtes de sept douzaines de beignets chacune. Oh ! Des douzaines ! Il va falloir que je multiplie encore.

José :

Oui, c'est vrai, mais tu n'as pas terminé de lire le problème afin de tout le mettre dans ta tête. Prends le temps de compléter ou d'ajouter d'autres images provenant des informations suivantes.

Ici, j'emploie le mot « image », car il semble clair, pour ce problème, que Pierre évoque visuellement et qu'il est sur la bonne voie de le résoudre.

Pierre :

« Le marchand leur a fait cadeau d'un beignet supplémentaire pour chaque douzaine achetée. »

Pierre :

Alors je ne fais pas 7 x 12 mais 7 x 13 et je multiplie par 5... 455 beignets.

José :

Est-ce bien le nombre de beignets que l'on cherche ?

Pierre :

« Combien de beignets pourrons-nous faire cuire ? » Oui, 455 beignets.

José :

« C'est très bien. Comment comptes-tu t'y prendre la prochaine fois que tu auras à résoudre un problème mathématique ? ».

Avec un peu d'aide et de la pratique, Pierre comprend l'importance de l'évocation et de la vérification de cette dernière avec le problème écrit. Ici, on prend un temps pour qu'il s'imagine réutiliser ses stratégies évocatrices lorsque la situation se présentera à nouveau.

Voici des conditions essentielles au transfert des compétences.

Mémorisation de l'orthographe d'usage

Comment propose-t-on à nos jeunes d'étudier l'orthographe ? Il est essentiel dans un tel contexte de saisir l'importance de l'évocation, de la réactivation et du projet de sens. Mentionnons que les commentaires et explications sur certaines des étapes de cette gestion mentale spécifique se retrouvent à la suite de l'encadré.

Avant d'étudier

1. On me donne à écrire les mots de vocabulaire en dictée.
2. Je fais un petit astérisque au-dessus des mots dont je doute de l'orthographe.
3. La dictée terminée, je vérifie mon travail à l'aide de ma liste de mots.
4. Un adulte peut vérifier ma correction si j'ai de la difficulté à remarquer les erreurs.

Évocation des mots plus difficiles ou sur l'orthographe desquels il me reste un doute

1. Je me prépare à regarder le mot avec le projet de le mettre dans ma tête pour longtemps et pour différentes situations que j'imagine (projet d'avenir) telles que les dictées, les compositions, des messages, etc.

2. Je lis le mot et j'imagine son sens ou me l'explique.

3. Je regarde l'orthographe du mot et je me donne des trucs pour les parties difficiles.
4. Je mets dans ma tête le mot à apprendre et les trucs : je vois les lettres et les trucs et/ou je me dis et/ou j'entends les lettres et les trucs et/ou j'écris le mot dans les airs.

5. J'écris le mot que j'ai dans ma tête sur une feuille et je le vérifie avec celui écrit dans ma liste. Si j'ai fait une erreur, je la corrige dans ma tête (pas seulement sur ma feuille !) et, au besoin, je me donne un autre truc que je prends aussi le temps d'évoquer.

6. Je fais revenir dans ma tête le mot et le truc, s'il y a lieu, 10 minutes plus tard puis souvent pendant la semaine, sans le regarder, en imaginant, à nouveau, plusieurs situations où j'aurais besoin d'écrire ce mot.
7. Au moment de la dictée ou de toute autre activité d'écriture, je prends le temps de faire revenir le mot dans ma tête.

Cette façon de procéder est transférable à l'apprentissage des nouveaux mots de vocabulaire en langue seconde.

On me donne à écrire des mots de vocabulaire en dictée

Cette étape doit être pratiquée avec les enfants qui ont déjà un bagage de mots. Elle leur permet de constater qu'ils en connaissent déjà un certain nombre et qu'il leur en reste moins à mémoriser. Avec les plus jeunes et ceux qui éprouvent de la difficulté, on ne doit travailler parfois que quelques mots à la fois, deux ou trois par soir ou même par semaine. Il est inutile, voire dommageable, d'exiger d'un élève qu'il mémorise plus de mots qu'il ne le peut. Il est préférable de lui en demander moins, mais de l'amener à pratiquer le geste de mémorisation adéquatement. **Visons la qualité et non la quantité.** Tous les enfants pour qui nous avons dû ajuster à la baisse, de concert avec l'enseignante, la quantité de mots à apprendre, étaient fiers d'augmenter graduellement le nombre de mots au cours des semaines suivantes. Ils ne résistaient plus à l'apprentissage des mots, car ils avaient des moyens. Ils n'appréhendaient pas non plus la dictée, parce qu'ils se sentaient respectés.

★ *Je fais un petit astérisque sur les mots dont je doute de l'orthographe*

Faire un petit astérisque au-dessus du mot dont il doute de l'orthographe permet à l'enfant d'apprendre justement à gérer ses doutes et à se questionner. Il sera aussi plus engagé dans sa correction, car il voudra vérifier s'il avait raison d'avoir un doute. Cela nous permet aussi de voir si notre enfant se surestime ou, au contraire, s'il manque de confiance en lui. En effet, on remarque que celui qui inscrit des astérisques sur les mots bien orthographiés aurait tendance à manquer de confiance en lui. Tandis que celui qui n'en pose pas malgré le grand nombre d'erreurs se surestimerait et devrait apprendre à douter et à vérifier plus souvent. Enfin, celui qui en met sur plusieurs mots et que ces derniers sont en effet erronés serait très conscient qu'il a besoin d'aide et pourrait se sentir dépassé.

Ce petit astérisque, qui peut paraître anodin, a le pouvoir d'amener l'enfant à se questionner lui-même, à se positionner par rapport à ce qu'il croit savoir ou non. Il est de moins en moins en attente de l'approbation ou de la sanction de l'adulte. N'est-ce pas un pas vers l'autonomie?

J'imagine le sens de chaque mot

Mémoriser l'orthographe d'un mot dont on ne connaît pas la signification diminue les chances de réutilisation (le projet d'avenir), mis à part, peut-être, la dictée de la semaine.

Je me donne des trucs pour les parties difficiles

Voici quelques exemples. Le mot *château* prend un accent circonflexe qui peut rappeler le toit des tours des châteaux. Certains iront jusqu'à dessiner la tour sous l'accent pour mieux s'en faire une évocation visuelle. Le mot *chat* prend un «t» muet afin de préparer le mot *chatte. Mourir* ne prend qu'un seul «r», car on ne meurt qu'une seule fois tandis que *nourrir* en prend deux parce qu'on se nourrit plusieurs fois… On peut aussi faire des catégories de mots en se basant sur le sens, sur la racine ou en trouvant des analogies avec les sons; par exemple, le son *ou* dans *poule* se retrouve aussi dans *moule* et dans *boule*. On peut demander à l'enfant ce qui est pareil et différent dans les mots *avoir, pouvoir, devoir*.

Sans exiger des trucs pour tous les mots, il est important de laisser l'enfant trouver ses propres trucs même si certains peuvent paraître compliqués ou complètement loufoques. Ne jugez jamais ses trucs, mais amenez-le plutôt à ce qu'il expérimente ce qui fonctionne pour lui. Certains enfants ont parfois besoin qu'on leur donne des exemples pour

leur faire saisir qu'ils peuvent utiliser leurs connaissances et leur imagination afin de se trouver des trucs. Le truc de maman est bon pour
maman, mais il est possible qu'il ne le soit pas pour l'enfant et qu'il
devienne plutôt une information supplémentaire à mémoriser.

J'écris le mot que j'ai dans ma tête sur une feuille

Un élève m'a dit un jour qu'il voyait bien le mot dans sa tête mais qu'il
ne pouvait pas l'écrire, car ce serait copier! C'est parfois très surprenant
ce qu'on découvre en questionnant les enfants, et les apprenants en
général, sur la pratique de leurs gestes mentaux. Il est néanmoins
primordial d'accueillir ces manifestations dans le respect et avec la plus
grande ouverture possible. On a dû répondre à cet enfant qu'on avait le
droit de «copier» ce qui était dans notre tête, car c'était là le signe que
le mot était appris.

Je fais revenir le mot dans ma tête 10 minutes plus tard puis souvent pendant la semaine, sans le regarder.

Afin de penser à faire revenir l'évocation des quelques mots qui sont
plus difficiles, on peut suggérer à l'enfant d'écrire les mots sur un bout
de papier et de les mettre dans ses poches, ses mitaines ou à un endroit
où il accède plusieurs fois au cours de la journée. Chaque fois qu'il mettra sa main dans sa poche ou dans sa mitaine, il sentira son bout de
papier qui lui rappellera de faire revenir ses mots dans sa tête; puis, en
cas de doute, il pourra vérifier sur son papier. Il faut lui rappeler de ne
pas regarder trop vite les mots écrits, mais de prendre le temps de les évoquer d'abord. On peut aussi les afficher sur le réfrigérateur de manière à
ne pas voir leur orthographe, mais un dessin les représentant. Cela afin
d'éviter de s'en tenir seulement à la perception des mots et de provoquer
plutôt la réactivation de l'évocation de leur orthographe des mots.

Recopier pour mémoriser

Réécrire plusieurs fois les mots dont on doit connaître l'orthographe
sans pratiquer l'évocation ne garantit en rien leur mémorisation. Seule
l'évocation de l'orthographe du mot en assure la rétention. On remarque,
toutefois, que le fait d'écrire le mot favorise chez certains son évocation. Il
est clair qu'il est de loin plus efficace de réévoquer les mots plusieurs fois,
selon leur complexité, que de les réécrire plusieurs fois sans évoquer.

On comprend maintenant pourquoi bon nombre d'enfants n'aiment
pas faire la correction de leur dictée en recopiant les mots erronés trois
fois chacun. Il n'y a pas là de projet de sens de mémorisation, et ils
perçoivent ce devoir comme une punition plutôt que comme une occasion d'apprendre. Toutefois, si c'est ce qu'on lui demande de faire lors
de sa correction, amenez-le à ce qu'il profite de cette occasion pour
mettre le mot dans sa tête avant de l'écrire au lieu de le recopier bêtement.

Mauvais contenu de l'évocation

> Paul évoque la prononciation des syllabes du mot. Il se redit le mot mentalement, syllabe par syllabe; exemple: ma/ri/a/ge, sans se l'épeler ou le voir mentalement. Cette procédure n'assure aucunement la réussite pour l'orthographe des mots irréguliers qu'il évoque ainsi. Face au mot *monsieur* qu'il prononcera [me/si/eu] ou *femme* qu'il prononcera [fam], il y a très peu de chance qu'il écrive ces mots correctement lors d'une dictée ou d'une composition écrite. Il doit regarder le mot avec le projet de le voir écrit mentalement ou de s'entendre l'épeler mentalement, ou encore de se donner le truc. Par exemple : « *On dit [me/si/eu], mais on écrit [mon/si/eur].* »

Activité de compréhension de lecture

Pourquoi lire ? Ou comment aider l'enfant à aimer la lecture ?

Nous sommes tous conscients de l'importance de la lecture dans la vie de tous les jours. Nous savons qu'elle permet l'autonomie dans la vie, l'évasion, l'élargissement des connaissances et bien plus encore. Mais elle nous fait aussi accéder à du nouveau vocabulaire et à des structures de phrases plus riches qui enrichissent notamment nos productions écrites et notre façon de penser et de s'exprimer.

Malheureusement, plusieurs jeunes disent ne pas aimer lire. Arrivés à l'école secondaire (12 ans) où on exige la lecture de romans, ils se retrouvent parfois démunis parce qu'ils ne lisent pas assez vite ou parce qu'ils ne comprennent pas ce qu'ils lisent.

On retrouve beaucoup de jeunes qui décodent bien les mots, mais qui ont de la difficulté à comprendre ce qu'ils lisent. D'où, parfois, le manque d'intérêt pour la lecture. En termes de gestion mentale, on pourrait émettre l'hypothèse que l'enfant a des difficultés à évoquer ce qu'il lit pour en faire du sens.

Afin de favoriser la production d'évocations et l'accès au sens, des activités peuvent être présentées à des personnes de tous les âges: aux tout-petits, à qui on fait la lecture, jusqu'aux grands qui savent bien lire, mais pour qui la compréhension est laborieuse.

Voici donc quelques activités que vous pourriez faire avec votre jeune selon son âge et ses difficultés de compréhension.

Compréhension des termes spécifiques à la pédagogie des gestes mentaux

Premièrement, on doit s'assurer que l'enfant saisit bien la différence entre les mots ou les concepts: perception, évocation visuelle, verbale et auditive. On lui mentionne qu'il doit se préparer mentalement à écouter ou à lire le texte pour le « mettre dans sa tête » en se faisant des images, en se parlant et/ou en le ré-entendant. Cette étape (projet d'attention) est très importante, car elle donne les moyens de l'évocation.

Lorsque je rencontre les élèves, au tout début de mes interventions, je leur lis une petite histoire en leur donnant le projet de me la raconter à leur tour. Cette activité permet de s'entendre sur les termes qu'on emploiera et sur l'importance accordée à la prise de conscience des évocations (le comment) plutôt qu'à la performance (le rappel de l'histoire en tant que tel).

Activités pour celui qui ne sait pas encore lire

Avec les tout-petits qui ne savent pas encore lire, on peut leur lire des histoires en les questionnant au fur et à mesure de la lecture sur leurs formes évocatives. On peut aussi les mettre en projet (avant la lecture) d'inventer une fin avant qu'ils entendent celle de l'auteur. Avant une autre lecture, on peut leur demander d'écouter avec le projet de nous rappeler l'histoire à l'aide des évocations qu'ils auront construites. Il est toujours stimulant de faire ces exercices avec d'autres amis ou membres de la famille, car on peut constater la diversité des évocations et les grandes possibilités d'enrichir les siennes.

Il est essentiel de lire lentement, afin de permettre la construction des évocations. Dans une situation où l'enfant a de la difficulté, prenez une très courte histoire de quelques lignes, faites l'activité en l'assurant que vous lirez l'histoire deux fois ou même autant de fois qu'il le désirera. Ceci lui permettra de faire des allers-retours entre la perception et ses évocations pour ainsi les confronter et les enrichir tout en respectant le sens. Entre chacune des lectures, vous pouvez l'encourager à décrire ses évocations et vous constaterez, ensemble, l'amélioration de ces dernières ainsi que la compréhension de l'histoire.

S'il s'avère difficile pour l'enfant de décrire ses évocations, offrez-lui de vous faire un dessin. Vous pourrez lui demander s'il a eu recours à des images ou à des mots (ou les deux) pour le faire.

Activités pour celui qui débute en lecture

Lorsque l'enfant commence à lire ou qu'il éprouve des difficultés, partagez-vous la lecture. La compétence en lecture est bien importante, mais l'accès à l'information l'est aussi. En effet, si votre enfant est intéressé à augmenter ses connaissances sur un sujet en particulier, voici une belle occasion pour le faire lire. Mais attention! Lui demander de tout lire risquerait de brûler son intérêt pour le sujet en question. La même situation se présente lorsqu'un enfant éprouve des difficultés à lire. Le texte imposé par les devoirs et les leçons le décourage par sa longueur. Il s'agit de partager la lecture avec lui afin qu'il ait accès aux connaissances qui y sont véhiculées et de s'assurer qu'il vise à comprendre son contenu. On lui demandera donc de prendre, encore une fois, le temps d'évoquer ce que vous lisez et ce qu'il lit, car vous allez lui poser quelques questions de compréhension au cours du texte ou à la fin. On peut couper la routine en lui demandant à son tour de vous questionner.

Aux enfants qui aiment dessiner, mettez-les en projet (avant la lecture) de représenter une partie ou la totalité de leur lecture à l'aide d'un dessin ou d'une bande dessinée. Puis encouragez-les à expliquer et, même parfois, à justifier leur dessin.

Attention à la lecture à haute voix! Un enfant qui ne maîtrise pas tout à fait la lecture (le décodage des mots) et à qui on demande de lire à haute voix, a comme projet de bien lire tous les mots pour montrer sa compétence. Il évoquera les sons des graphies (un contenu évocatif composé de symboles, de lettres…) pour les dire correctement. Cela exige beaucoup d'efforts au plan cognitif et laisse peu de place à la construction d'évocations qui génèrent la compréhension (contenu évocatif de scènes concrètes, de liens avec ses connaissances…). On fera lire l'enfant à haute voix pour évaluer ses compétences et ses difficultés à décoder, et non pas pour vérifier sa compréhension. Ce sont deux tâches différentes qui appellent des projets de sens différents. La lecture à haute voix risque aussi de développer une certaine dépendance à l'adulte qui est là pour valider si l'enfant a bien lu. On permettra à l'enfant qu'il lise (pour le plaisir et pour apprendre) de manière de plus en plus autonome en l'amenant à chercher du sens et **son** sens dans ses lectures. Cela étant dit, on peut s'entendre avec l'enfant pour lire **de temps à autre** à haute voix, mais en spécifiant que vous désirez constater ses progrès à décoder les mots et que vous ne lui poserez pas de questions sur le sens du texte.

Activité pour celui qui est autonome en lecture

On entend par enfant autonome en lecture, celui qui sait bien décoder les mots, les syllabes, les sons…

Certaines personnes aiment aborder le texte dans son ensemble afin d'avoir une idée globale. Puis, elles liront chacun des paragraphes et des phrases pour «remplir» ou pour ajouter des détails au sens global qu'elles se seront fait du texte. D'autres construiront leur sens au fur et à mesure de la lecture en respectant l'ordre de présentation du texte. La globalité du texte se fera à la fin de la lecture.

Vous pouvez donc proposer à votre enfant ces différentes façons d'aborder la lecture. Par ailleurs, après l'avoir averti de votre intention, retirez le texte de sa vue après la lecture d'un paragraphe plus ou moins long. Ce paragraphe sera lu silencieusement par vous deux. Puis, demandez-lui de vous décrire ses évocations pour les comparer ensuite, à la partie lue du texte. Si la description de ces dernières est conforme au texte, félicitez-le et poursuivez avec le second paragraphe.

Toutefois, si elle n'est pas conforme au texte, laissez-lui du temps pour ajuster et enrichir ses évocations par une relecture, faite par vous ou par lui, et surtout par une pause évocation où le regard ne porte pas sur le texte (l'objet de perception). Il arrive parfois qu'on ait besoin de faire un arrêt pour prendre le temps d'évoquer après chacune des phrases ou même après des parties de phrases. Il est recommandé de travailler de cette manière: lentement, mais sûrement. On remarquera aussi les mots dont le sens n'est pas compris. Il faudra prendre le temps de lui demander d'émettre une hypothèse de sens du mot en question. De cette manière, il osera davantage, car il aura droit à l'erreur. Lorsque c'est possible, réutilisez les mots nouveaux dans des conversations ultérieures ; cela permettra à votre enfant de réactiver leur sens et, ainsi, de mieux les intégrer.

Pour l'enfant en plus grande difficulté, on peut s'amuser à piger des phrases qu'il doit lire, en évoquer le sens, et pour lesquelles il doit formuler un jugement : c'est vrai, c'est faux, c'est possible, c'est impossible.

Il y a, d'un côté, le récit ou les informations données par le texte et, de l'autre côté, les évocations que l'on s'en fait. Il importe de ne pas s'en tenir à la description du récit mais bien de mettre l'accent sur la prise de conscience des formes d'évocation que l'on se construit à partir des mots du texte. Il faut faire sans cesse des allers-retours entre ce que le texte dit et les évocations que l'on s'en fait afin de demeurer près du contenu du texte.

Aussi, prenons soin d'amener l'enfant à garder en tête la tâche qu'il aura à réaliser suite à sa lecture. Ceci favorise la construction d'évocations utiles pour la tâche en question.

De plus, on peut lui demander de faire des liens entre les parties du texte ainsi que de faire appel à des connaissances qu'il a sur le sujet du texte, sur la langue... qui lui permettront d'approfondir sa compréhension. Enfin, on peut aussi imaginer des contextes qui nous permettent de mieux saisir le texte.

Autres activités

D'autres genres d'activités et d'interventions peuvent permettre d'enrichir les évocations en se « promenant » entre les différents contenus (concret, automatisme, abstrait et inédit) et catégories d'évocation (visuel, autovisuel, auditif et verbal).

- **Les contenus**

  Les évocations du concret, du quotidien (objets, personnes, scènes, conversations, etc.)

  Si votre enfant crée des évocations surtout symboliques, c'est-à-dire qu'il voit ou entend les mots du texte mentalement, vous pouvez l'amener à ce qu'il parte de celles-ci et qu'il en fasse des évocations plus concrètes de la vie de tous les jours. Il peut prendre le rôle d'un spectateur/auditeur ou d'un acteur/narrateur selon qu'il préfère les évocations visuelles ou auditives.

  Les évocations automatisées, les apprentissages simples (symboles, mots, chiffres, etc.).

  Si les évocations sont plutôt concrètes, c'est-à-dire du domaine du quotidien, vous pouvez l'amener à ce qu'il parte de celles-ci et qu'il évoque certains mots du texte. Par exemple : les nouveaux mots ou les mots importants du texte.

Les évocations abstraites, les apprentissages complexes (schémas, catégories, relations, déductions, inductions, rapports, liens logiques, analogies, règles, etc.).

Certains textes, histoires, poèmes, etc. se prêtent bien à la comparaison avec des situations vécues. Proposez à votre enfant de faire ressortir ce en quoi la situation relatée dans l'histoire ressemble ou diffère d'une situation vécue. Certaines histoires peuvent aussi être comparées avec d'autres histoires lues. On fait la lecture d'un premier texte, puis d'un deuxième avec le projet de les comparer en faisant ressortir les similitudes et les différences. Puis on lit un troisième texte qu'on compare avec les deux autres. Les comparaisons peuvent se faire autant sur le plan du contenu de l'histoire que sur celui de la forme.

D'autres histoires ou textes plus informatifs peuvent aussi être schématisés. Le dessin ou le schéma permettra l'organisation temporelle et spatiale du texte. Il faut encourager la recherche de liens dans le texte pour favoriser une réflexion.

Les évocations inédites, l'imagination créatrice (invention, découverte).

On peut aussi amener son enfant à inventer des situations similaires ou différentes, à ajouter un personnage, à changer la fin, etc.

- **Les catégories d'évocation**

Nous avons vu précédemment qu'un enfant peut être pris par une émotion paralysante et ne pas parvenir à donner du sens à ce qu'il lit. Il lit et relit, mais ne comprend pas. On doit l'amener à se détacher du contenu littéral en lui demandant de traduire les mots du texte en ses propres mots (évocations verbales) ou en images (évocations autovisuelles). Au besoin, on fait cet exercice phrase par phrase. Il faut, encore ici, être certain qu'il n'a pas le texte sous les yeux, sinon le travail risque de se faire en perception plutôt qu'en évocation. On lui demande, par exemple, de s'imaginer en train de l'expliquer à un plus jeune que lui. Il devra donc faire des transformations au texte en changeant certains mots et certaines structures de phrases. Il faut lui dire qu'il a le droit de transformer le texte pour mieux comprendre tant et aussi longtemps qu'il s'assure de respecter le sens. Ce qui nécessite de faire des allers-retours entre le texte et ses propres explications.

> Il est trop spectateur/auditeur et pas assez acteur/narrateur.

Nous avons vu aussi qu'un enfant peut être pris par une émotion précipitante. Celle qui pousse l'enfant à produire au plus vite. On l'amènera à émettre son hypothèse de sens, puis à confronter cette hypothèse avec le bout de texte, le texte ou la consigne en question, jusqu'à ce que son hypothèse soit conforme au sens du texte. Il est important de toujours garder une attitude positive lorsqu'on amène son enfant à comparer son hypothèse avec le texte de

> Il est trop acteur/narrateur et pas assez spectateur/auditeur.

référence. On y parvient en reconnaissant ses efforts et son attitude d'ouverture par rapport à un éventuel changement de sens. Comme il est très difficile et parfois très déstabilisant de modifier de vieilles habitudes, on doit éviter à tout prix de lui reprocher ses erreurs. On risquerait de le blesser et, ainsi, de perdre toute collaboration.

Autant pour celui qui est pris par une émotion paralysante que celui qui est pris par une émotion précipitante, on pensera à lui demander, avant la lecture, d'évoquer (de faire revenir à sa mémoire) les stratégies traditionnelles de lecture : prédiction à l'aide des images et des sous-titres, survol du texte, recherche de l'idée principale et des idées secondaires, utilisation de stratégies de dépannage face aux mots plus difficiles à lire, etc. Il devra aussi évoquer les moyens mentaux qu'il doit se donner pour comprendre le texte : type d'évocation, projet de confronter le sens par des allers-retours entre le texte et ses évocations, recherche ou construction de liens dans le texte puis, recherche ou construction de liens avec ses connaissances antérieures.

Ces exercices et activités aideront grandement votre enfant à rechercher le sens et à éprouver plus de plaisir et de facilité à lire.

Favoriser l'autoévaluation et le transfert des apprentissages

Les deux prochaines activités (*Les pauses retours* et *Les couleurs dans l'agenda*) s'adressent aux enfants du primaire (6 à 12 ans) et visent à favoriser l'autoévaluation et le transfert des apprentissages réalisés au cours de la journée et de la semaine. Certains enfants, aussitôt arrivés de l'école, racontent leur journée, soit en énumérant les activités vécues, soit en montrant ce qu'ils ont appris de nouveau. Cependant, plusieurs n'élaborent pas beaucoup et disent même ne pas se souvenir de ce qu'ils ont fait durant leur journée. Plusieurs de ces jeunes n'ont pas de projet d'avenir pour leurs apprentissages accomplis à l'école. Les devoirs sont une façon de revoir ce qui a été abordé au cours de la journée mais, encore là, ils n'assurent pas à tous l'apprentissage des notions vues ni leur transfert.

Les pauses retours

Les pauses retours peuvent s'avérer difficiles au début, car l'enfant n'est pas habitué à ce type d'interventions de la part du parent. En fait, il faut avertir son enfant qu'on agira ainsi dorénavant. On lui rappelle le matin avant de partir pour l'école qu'il se mette en projet de vous raconter ce qu'il apprendra au cours de la journée. Vous pouvez vous concentrer sur une seule période ou matière à la fois. Et pourquoi ne pas commencer avec l'éducation physique, si c'est la matière qu'il préfère ! Il faut persévérer et être constant. Cela peut prendre quelques semaines avant que l'enfant saisisse l'importance de ce rappel. Il faut beaucoup de patience, mais cela fera une grande différence dans ses apprentissages.

Voici comment peut se faire cette pause retour.

LA PAUSE RETOUR

Au retour de l'école, à un moment entendu avec votre enfant et, si possible, avant les devoirs et les leçons, faites la *pause retour*. Cette *pause retour* ne durera que quelques minutes (entre 5 et 10 minutes), mais vaudra son pesant d'or.

Amener votre enfant à (choisir un ou deux points seulement parmi les suivants):

✓ vous raconter le déroulement de sa journée, de l'activité, de la sortie;

✓ vous redonner les points essentiels (ce qui lui a paru important) de sa journée ou d'une matière ciblée;

✓ vous redonner ce qu'il savait déjà et ce qu'il a appris de nouveau;

✓ faire des liens avec d'autres connaissances ou avec des situations vécues;

✓ vous dire les occasions où il a utilisé ses nouvelles connaissances;

✓ anticiper des moments ou des lieux où il pourrait utiliser ses nouvelles connaissances;

✓ vous dire ce qu'il a le plus aimé et le moins aimé et pourquoi.

Et de votre côté:

✓ parler de vos bons coups et de ce que vous avez appris au cours de votre journée;

✓ penser tout haut pour montrer vos réflexions, vos découragements et encouragements, vos efforts et votre persévérance.

Plusieurs enfants croient que les adultes font tout facilement.

Les couleurs dans l'agenda

Les enfants sont nombreux à avoir de la difficulté à se rappeler ce qu'ils ont appris au cours de la semaine. Plusieurs ont aussi l'impression de bien comprendre les notions vues dans leurs devoirs et leurs leçons alors qu'il en est autrement.

Avoir à expliquer une consigne à son enfant pour qu'il puisse, par la suite, être en mesure de faire son devoir ne démontre pas le même degré de difficulté de compréhension que lorsqu'on doit revenir sur l'explication du concept et lui donner un exemple. Or, certains enfants sont convaincus de bien comprendre la matière à apprendre même s'ils ont eu recours à des explications supplémentaires et obtenu de l'aide tout au long de leur devoir.

Il en va de même, et de manière plus évidente, pour les leçons. Des élèves relisent leurs leçons (ils restent en perception sans prendre soin d'évoquer) en ayant la conviction de bien comprendre. On rencontre donc des enfants qui ont toujours le sentiment de bien savoir alors qu'il n'en est rien.

Pour aider de façon efficace l'enfant à prendre conscience de ce qu'il comprend et de ce qu'il ne comprend pas, on peut recourir à l'exercice qu'on appelle « les couleurs dans l'agenda ».

On demande à l'enfant de dire ce qu'il croit savoir et ce qui peut lui causer problème dans chacun des devoirs et leçons qui sont inscrits dans son agenda. Il doit faire un petit point discret de couleur (insistons sur le *discret*, car il est important de garder un agenda propre et sans dessin ou rayure) à gauche de chacun des devoirs et des leçons en choisissant la couleur appropriée selon son niveau de compréhension ou de maîtrise. Quatre couleurs sont proposées : le bleu, comme le ciel, et les trois couleurs se référant aux feux de circulation : vert, jaune et rouge.

Après avoir terminé un devoir, l'enfant doit évaluer son degré de compréhension par le choix d'une couleur, puis il doit refaire le même exercice pour chacune de ses leçons la veille d'un contrôle. Il choisira le bleu s'il juge que la matière est très facile ou qu'elle est déjà bien acquise ; le vert s'il n'a eu besoin d'aucune aide sans pour autant avoir trouvé la matière très facile (on pourrait y retrouver quelques erreurs) ; le jaune signifie qu'il a eu un coup de pouce et, enfin, le rouge témoigne d'une plus grande difficulté et d'un besoin d'aide plus soutenu de la part du parent.

La majorité des enfants arrivent à gérer leurs doutes après deux ou trois semaines de cet exercice, avec l'aide d'un parent pour vérifier si le choix de couleur (leur évaluation) est juste. Il poursuit seul par la suite, et le parent peut jeter un coup d'œil une fois les couleurs apposées.

Une telle pratique permet à l'enfant de prendre conscience sans délai des notions acquises et de celles qui lui causent problème. À partir de là, il s'agit de lui demander comment il explique le fait que telle ou telle leçon ne soit pas encore maîtrisée pour le contrôle. En lui rappelant les trois conditions essentielles d'une bonne mémorisation : évoquer, réactiver et avoir un projet de réutilisation, il pourra constater ce qui fait défaut. Rappelons-nous que le geste de mémorisation est utile aussi pour se souvenir de ce qu'on a compris.

En ce qui concerne la compréhension d'un devoir qui lui semble difficile, on peut lui demander ce qu'il a l'intention de faire pour pallier ce problème, en lui suggérant, au besoin, d'en parler à son enseignant ou en allant à des séances de récupération. On lui rappellera aussi les conditions essentielles pour s'assurer d'une bonne compréhension : pouvoir expliquer en ses propres mots les concepts ou pouvoir les appliquer. L'important est de bien faire comprendre à l'enfant qu'il ne doit pas rester avec une incompréhension et qu'il a les moyens à sa disposition pour y remédier. Il deviendra, par le fait même, de plus en plus responsable et autonome, parce qu'il connaîtra les moyens pour y parvenir.

Il est primordial d'apprendre à bien gérer le doute autant pour celui qui a trop d'assurance que pour l'autre qui en manque. Le premier sera très surpris de ses mauvaises notes et risquera de se décourager. Le second risque de développer de l'anxiété si on ne lui donne pas des repères solides pour le rassurer quant à sa bonne sa compréhension.

Mise en application pour les jeunes à partir du secondaire

Comment aider nos élèves du secondaire à faire un retour sur ce qui a été vu au cours de la journée? Les questions qui suivent peuvent y contribuer. L'idée n'est pas de répondre à toutes les questions, mais de s'en inspirer pour faire le retour. Il est primordial de saisir que ce rappel doit, dans un premier temps, se faire en évocation, c'est-à-dire sans regarder les notes; par la suite, on prendra le temps d'aller confronter nos évocations avec la perception (les notes de cours, les livres, etc.) et de compléter ou rectifier au besoin.

Réactivation

- Qu'est-ce que j'ai vu, entendu, fait, pendant le cours (quelle est la matière qui a été abordée?)?
- Qu'est-ce que j'ai appris de nouveau? ou
- Qu'est-ce que j'ai consolidé?

Selon la matière, j'écris sur une feuille tout ce qui me vient à l'esprit sur ce qui a été vu pendant le cours, puis je réorganise ces informations ou j'écris sur une feuille une explication et un exemple de la notion vue en classe.

Organisation des informations (implique les gestes de compréhension et de réflexion)

- Quelles notions déjà vues cela complète-t-il?
- Quelles connaissances déjà acquises me permettent de comprendre cette notion?
- Quels liens peut-on faire avec d'autres notions déjà vues?

Vérification des évocations

- Je vérifie avec mes notes de cours et je rectifie au besoin.
- Je prends le temps de réactiver ce qui manquait dans mon retour.

Projet d'avenir

- Quand, où et comment vais-je utiliser cette notion?
- Pour quelles matières ai-je besoin de cette notion?
- Comment pourrait-on me questionner?

Évaluation de ma compréhension (autoévaluation)

1. J'ai bien compris et je peux passer à une autre notion.
2. J'ai besoin d'un peu de pratique.
3. J'aimerais y revenir et avoir d'autres explications.
4. Je me sens perdu.

Moyens à ma disposition (en lien avec l'évaluation de ma compréhension)

✓ Réactiver de temps en temps la matière (pour celui qui aura évalué sa compréhension à 1 ou 2).

✓ Retravailler la matière (pour celui qui aura évalué sa compréhension à 3).

✓ Demander de l'aide à un pair (pour celui qui aura évalué sa compréhension à 3 ou 4).

✓ Questionner son enseignant. (pour celui qui aura évalué sa compréhension à 3 ou 4).

✓ Aller aux rencontres de récupération. (pour celui qui aura évalué sa compréhension à 3 ou 4).

✓ Autres : rencontrer l'aide pédagogique, l'orthopédagogue, le psychologue, etc. (pour des difficultés qui persistent).

Ces retours peuvent être faits en partant d'un exemple ou d'une partie de la théorie qui revient à l'esprit de l'élève. Ce peut être aussi en réorganisant le contenu à évoquer de manière temporelle et spatiale (des résumés, des étapes, des mots-clefs, des tableaux, des schémas, des cartes d'organisation, etc.). Cela dépend du contenu de la matière et du mode de fonctionnement privilégié de l'apprenant.

Ces retours permettent non seulement le rappel de la matière vue au cours de la semaine, mais aussi de vérifier sa propre compréhension et de l'approfondir. En effet, cet exercice amène le jeune à réorganiser sa matière à sa manière en ressortant les similitudes et les différences dans le contenu et avec ses acquis. Ce qui est essentiel à la compréhension et au rappel de la matière.

Selon la complexité du contenu et selon les difficultés de l'apprenant, il pourra être plus sûr de réactiver à tous les jours pendant une semaine, puis d'espacer ces temps de réactivation en fonction du besoin. On peut comprendre, sauf dans des cas d'exception, que les jeunes élèves aient besoin de réactiver leurs mots de vocabulaire plus d'une fois par semaine et que tout ce qui exige du « par cœur », tels que les tables de multiplication, la biologie, les poèmes… nécessitent plus de réactivation.

Vous pouvez faire cet exercice vous-même après l'écoute d'une émission d'information ou d'un documentaire présenté à la télévision ou à la radio. Vous constaterez que non seulement vous retiendrez mieux la matière mais vous favoriserez son organisation et vous pourrez ainsi y faire référence plus facilement. La rétention sera d'autant plus grande si, en plus, vous vous imaginez, le lendemain, en train de parler à vos collègues sur le sujet traité par le documentaire. Voilà votre projet d'avenir : condition nécessaire à la mémorisation.

Chapitre 7

Aider mon enfant à apprendre par des activités familiales

« Depuis qu'on échange sur nos évocations en famille,
on se comprend mieux. »

Un papa

Il est tout à fait possible de favoriser une bonne conduite des gestes mentaux dans des activités autres que les apprentissages scolaires, ou de vivre une activité ludique en restant actif intellectuellement.

Il serait bien dommage de manquer les belles occasions que nous offre le quotidien de la vie familiale de développer nos gestes mentaux. Acquérir de nouvelles habitudes de penser demande de l'entraînement quotidien et des contextes diversifiés.

Prenons l'exemple d'une sortie qui met au premier plan l'importance du projet et de l'évocation. Ce genre de sortie permet à tous de mieux profiter de l'activité et, surtout, de lui donner un sens qui favorisera la construction de souvenirs et de connaissances qui seront disponibles pour l'avenir.

Une sortie au Biodôme

Avant la sortie

Les questions doivent évidemment être adaptées à l'âge et à la capacité de comprendre de l'enfant.

Préparons le terrain afin de mieux accueillir les nouvelles informations.

« Nous allons au Biodôme le mois prochain. Est-ce que tu as déjà entendu parler du Biodôme ? Est-ce que tu connais quelqu'un qui y est allé ? Qu'est-ce que tu sais du Biodôme ? »

« As-tu des hypothèses sur ce qu'on pourrait y retrouver comme animaux ? »

« Qu'est-ce que tu aimerais y apprendre ? »

Comme parent, on peut parler un peu de ce qu'on connaît soi-même, des hypothèses et des questionnements qu'on a sur cet attrait touristique. De même, on peut s'entendre sur une question précise commune à tous et sur une question, particulière à chacun des membres de la famille, auxquelles on va chercher à répondre au cours de cette sortie.

- **Se situer dans l'espace**

On peut en profiter pour spécifier où se situe le Biodôme par rapport à la maison et à d'autres lieux connus dans les environs.

« C'est à Montréal près du Stade olympique. Tu sais, le stade que tu as vu depuis le mont Royal l'autre jour ? Viens voir sur les photos. »

Dépendant de l'âge et de la compréhension de l'enfant, on peut utiliser une carte géographique.

- **Se situer dans le temps**

« Viens voir le calendrier. »

Montrer sur le calendrier la date d'aujourd'hui et celle de la sortie. Compter le nombre de semaines et de jours qui les sépare. Tous les jours, amener l'enfant à y faire une croix ou à poser un autocollant en spécifiant à nouveau le nom de la journée, la date et le nombre de jours qu'il reste.

- **Faire participer l'enfant**

Lui faire choisir une responsabilité qui, toutefois, ne l'empêchera pas de profiter pleinement de la sortie. Exemples : payer à l'entrée, choisir le contenu du lunch, prévoir le montant d'argent nécessaire pour la journée…

- **Projet d'avenir**

Avant la sortie, prévoir le retour !

« On va prendre des photos qu'on montrera à Mamie au retour. Tu me diras ce que tu veux que je photographie afin qu'on ait des choses à lui *montrer* et dont on pourra *parler*. »

« Dimanche, on va souper chez tante Isabelle, on pourra lui parler de ce qu'on a *appris* de nouveau parce qu'elle s'intéresse beaucoup aux animaux. »

« Prépare-toi mentalement à ce que tu vas écrire ou faire dans ton spicilège (*scrap book*), dans ton cahier souvenir ou dans ton journal de vacances… »

Pendant la sortie

L'objectif est de développer l'attention et de se donner des outils pour comprendre et réfléchir afin de favoriser la conceptualisation.

« À quoi te fait penser cet animal ? Qu'est-ce qu'il a de *pareil* ou de *différent* de tel autre animal ? »

Les comparaisons peuvent se faire par rapport à différents aspects, en particulier la couleur et la forme. Il y a également d'autres critères de comparaison. Par exemple : cet animal vit en Arctique tout comme (similitudes) tel autre, mais (différences) il ne mange pas la même chose.

On en profite de temps à autre pour lui rappeler son projet d'avenir.

«Tu crois pouvoir expliquer à tante Isabelle la différence entre un pingouin et un manchot? De quelles images ou de quels mots auras-tu besoin pour lui en parler?»

«Auras-tu besoin d'écrire le mot manchot ou de le dessiner dans ton album? Donne-toi les moyens pour t'en souvenir. Fais ta photo dans ta tête ou décris-toi l'animal (ou le mot) en t'imaginant faire ton dessin (ou écrire le mot).»

Certains enfants vont préférer mettre leurs images ou leurs mots «dans leur tête» en s'imaginant y avoir recours une fois installés en face de leur album.

Après la sortie

Une fois bien reposés, on discute de ce qu'on a appris, de ce qu'on a aimé ou moins aimé, et pourquoi. Est-ce qu'on recommande cette sortie à nos amis? Pourquoi? Par la suite, on rencontre les personnes avec lesquelles on avait prévu partager cette expérience, on complète le cahier souvenir et les autres documents. Puis, on commence à parler d'une prochaine sortie!

Complément d'idées

Il ne s'agit pas de bombarder nos enfants de commentaires et de questions, mais de s'assurer que les avant, pendant et après la sortie sont abordés. Ici, encore, la qualité vaut mieux que la quantité.

- **Avant**

Les parents peuvent se parler entre eux, devant les enfants.

«Je me demande si nous allons voir des crocodiles ou des caïmans. Ça se ressemble beaucoup, mais je ne suis pas certain des différences. Est-ce que ce serait leur queue ou peut-être leur habitat?»

Le parent peut aussi prendre le temps de fouiller dans le dictionnaire ou sur Internet en disant qu'on est à même de vérifier ces informations et de les compléter.

- **Pendant**

Le parent peut lire les informations disponibles sur les tableaux et les affiches, s'informer auprès d'un guide… Montrer que même l'adulte apprend au cours de cette sortie et qu'il doit prendre les moyens pour le faire. Il faut montrer qu'il y a un effort à faire et qu'une satisfaction en ressort.

- **Après**

Il importe de formuler des commentaires sur la sortie entre parents, devant les enfants, et non seulement avec les enfants.

Et surtout, s'assurer d'avoir du plaisir!

Regarder et écouter une émission de télévision ou un film

Il est possible de regarder une émission de télévision tout en étant actif mentalement. Une entente préalable doit être établie entre l'adulte et l'enfant pour le choix d'une émission ou d'un film ; l'écoute se fera avec le projet d'en discuter ultérieurement. On prend soin de choisir une émission qu'on a préalablement enregistrée ou un film qu'on peut réécouter à volonté.

Il faut se mettre d'abord en projet de revoir, de réentendre ou de se redire ce qui sera vu et entendu pendant l'émission, et on a besoin d'un temps de tranquillité où chacun se rappelle ses évocations avant d'en discuter. Il est important de ne pas porter de jugement sur le rappel fait par l'enfant, même s'il se trompe. Au contraire, il serait avantageux de lui demander plutôt de préciser ses évocations. « Décris-moi ce que tu vois et ce que tu entends dans ta tête ». Cet effort l'aidera grandement à mieux saisir l'histoire ou les informations données au cours de l'émission et l'amènera à autoévaluer l'exactitude et la richesse de ses évocations. L'adulte n'a pas à valider sans cesse les dires de son enfant. C'est plutôt au jeune de vérifier avec l'enregistrement. **Valider sans cesse les dires de son enfant ne ferait que le rendre dépendant de notre jugement.**

Il arrive parfois que les enfants ont écouté certaines émissions qui sont d'un goût douteux ou qui ne correspondent pas à nos valeurs. On peut alors leur demander de faire une comparaison avec une autre émission plus appropriée en leur demandant de faire ressortir les similitudes et les différences dans le traitement, la présentation, l'objectif, la morale… Il est très intéressant de voir l'esprit critique qui émane des enfants dans ces moments.

Un souper en famille

Les soupers sont des moments où les échanges sont souvent spontanés. Voici un exemple d'une intervention où les connaissances des bases de la pédagogie des gestes mentaux ont été l'occasion de pratiquer l'évocation ainsi que le projet d'avenir.

Amélie, 8 ans :

Mamie m'a dit qu'elle travaillait dans des films mais sans parler. Je ne me rappelle plus du mot.

José :

Elle travaille comme figurante.

Amélie :

Ah ! C'est ça. Je ne me rappelle jamais !

José :

Comment pourrais-tu faire pour t'en souvenir ?

Amélie :

Figurante, figurante, figurante…

José :

N'avais-tu pas déjà tenté de répéter le mot plusieurs fois ainsi pour t'en souvenir ?

Amélie :

Oui, mais ça ne fonctionne pas très bien.

José :

Il faudrait tenter autre chose... À quoi te fait penser le mot figurante ?

Amélie :

(...)

José :

Est-ce qu'il y a un petit mot dans ce mot qui pourrait t'aider ?

Amélie :

Figue, je ne vois pas le rapport.

José :

En effet, moi non plus. À part peut-être des premières lettres qui sont pareilles dans les deux mots. Continue à chercher.

Amélie :

Ah ! Figure.

José :

Est-ce qu'il y a du sens maintenant ? Fais revenir le mot pour qualifier le travail de Mamie ainsi que le mot *figure* dans ta tête.

Amélie :

Bien oui, elle montre sa figure sans parler.

José :

Si tu veux retrouver ce mot plus tard, il te reste à imaginer une ou deux occasions où tu aimerais parler de ce que Mamie fait comme travail.

Amélie :

Je vais le dire à mes amis. C'est rare des mamies qui font ça.

José :

Qui font quoi ?

Amélie :

Figure..., de la figuration.

José :

Très bien. Prends le temps de l'imaginer maintenant.

Chapitre 8

Des situations rencontrées fréquemment

« À force d'utiliser la bonne méthode, tu vas aimer la matière ! »
L'élève Simon qui s'adresse à un autre élève

Ce chapitre regroupe des exemples représentatifs que j'ai rencontrés fréquemment dans ma pratique professionnelle et où la connaissance des bases de la pédagogie des gestes mentaux a été d'un bon secours.

Sylvain : transfert des compétences

Sylvain apprend habituellement par cœur en se redisant mentalement ce qu'il a lu ou entendu. Toutefois, il se retrouve démuni devant une carte géographique représentant les provinces du Canada qu'il doit mémoriser. Il ne pense pas à l'évoquer ou il ne sait pas comment l'évoquer. Constatant sa propension pour les évocations verbales, on lui propose de décrire ce qu'il voit avec le projet de se réentendre mentalement. Par exemple, le Québec est bordé au sud par les États-Unis et l'Ontario, à l'ouest par l'Ontario, à l'est par le Nouveau-Brunswick et par Terre-Neuve. On lui conseille aussi de mémoriser la formule suivante : CASMOQ TINN (les premières lettres de chacune des provinces), ce qui devrait lui permettre de nommer les provinces en allant de l'ouest vers l'est et du nord vers le sud. Ce qu'il fait. Puis, nous poussons l'exercice en lui demandant d'essayer de se construire des images visuelles à partir de ses évocations auditives. Ses images ne sont pas très claires, mais cela s'avère toutefois un excellent début, car il peut évoquer l'emplacement des provinces dans l'espace.

Chloé : découverte d'une vie mentale

Au cours d'un dialogue pédagogique, Chloé, 4e année, se rappelle que, lorsqu'elle était en première année et qu'elle ne savait pas encore lire, elle évoquait visuellement des mots écrits qu'elle avait inventés et qu'elle plaçait à côté de l'image de l'objet. Elle reconnaît que depuis qu'elle sait écrire, ses évocations sont plus fiables.

Après avoir travaillé, par introspection, la découverte de son fonctionnement mental, et devant l'attitude d'emportement et d'effervescence
qu'elle démontre, je lui pose la question suivante :

José :
As-tu déjà parlé de ton fonctionnement avant aujourd'hui ?

Chloé :
Non... Mais, je me rends compte qu'en parler me le rend plus clair et me
soulage. Ça fait du bien.

Carlos : confrontation de ses évocations à la perception

Lorsque Carlos reçoit une nouvelle partition de musique, il y jette un
coup d'œil et essaie tout de go de la jouer à la flûte. Il part ensuite de cette
tentative et la confronte à la partition. Cet aller-retour qu'il fait entre lui-
même et le modèle lui assure de bien saisir la pièce et de bien la rendre.

Toutefois, dans plusieurs autres situations, Carlos ne pense pas à faire
ce mouvement d'aller-retour et il est à la fois surpris et déçu du résultat.
La prise de conscience de ce moyen qu'il utilise « inconsciemment » en
musique lui donne l'outil nécessaire pour pallier certaines difficultés
qu'il retrouvait dans d'autres situations.

Claudia : du temps pour répondre

Claudia (7 ans, montrant le dessin d'un cadran) :
Je ne sais pas comment ça s'appelle.
José (au lieu de lui donner la réponse) :
Comment l'appellerais-tu ?
Claudia (après un temps de réflexion) :
Un cadran ?

En prenant son temps, Claudia trouve le mot. Or, nous sommes très
souvent portés à répondre aussitôt la question posée. Il en va de même
lorsqu'un enfant vous dit : « Hein ? », « Pardon ? » comme s'il n'avait pas
entendu votre question. En ne répétant pas tout de suite, on lui laisse le
temps d'évoquer ce qu'on lui a demandé. Pour plusieurs, demander de
répéter la consigne par un « hein ? » est tout simplement une manière de
gagner du temps. Ils n'écoutent pas vraiment la deuxième fois, mais ils s'af-
fairent plutôt à évoquer la première fois ou à confronter leur première évocation avec la deuxième perception. Il va sans dire qu'on doit s'assurer que
l'enfant perçoit bien les sons pour pouvoir les évoquer adéquatement.

Justin : connaissance ou reconnaissance ?

Justin est fier de me dire que c'est lui qui guide sa mère qui vient le
reconduire à mon bureau. Lorsque je lui demande comment il s'y prend
pour se souvenir du chemin, il me répond qu'au fur et à mesure qu'il
approche du bureau, il reconnaît les rues et les maisons. Si je lui
demande de m'expliquer le chemin, il reste sans réponse.

En fait, Justin ne connaît pas le chemin, il le reconnaît. « Ah oui, cette maison me dit quelque chose. » « Oui, oui, c'est bien la rue que l'on doit prendre, en voyant le nom, ça me revient. »

Si Justin ne se donne pas le projet d'évoquer ce qu'il perçoit visuellement (les maisons, le nom des rues…), il demeurera à la merci de sa perception et ne pourra jamais indiquer le chemin à une autre personne. Il devra toujours l'accompagner.

Je lui demande de m'expliquer le chemin à notre prochaine rencontre prévue pour la semaine suivante en lui indiquant qu'il aura peut-être besoin de plus d'un aller-retour pour arriver à mémoriser ses évocations. Justin, sachant qu'il utilise les évocations auditives, se donne donc le projet d'évoquer verbalement le chemin qu'il verra en perception visuelle.

Mathieu : « J'ai déjà vu, donc je sais ! »

Voici, dans un contexte plus scolaire, une situation courante, peu importe la matière ou le niveau. Nous sommes au mois de septembre, qui est consacré à la révision des notions vues l'année précédente.

José :

> As-tu besoin que l'on revienne sur la matière qui a été vue cette semaine en classe ?

Mathieu :

> Non, non. Je sais, je me souviens bien de tout. Nous avons vu ça l'an passé.

Je lui demande de me donner une explication ou un exemple ; il ne parvient qu'à me communiquer quelques bribes d'information et je ne peux que constater la confusion installée dans les concepts.

Le « Je sais » voulait dire plutôt : « Je l'ai déjà vu ou entendu ». Le danger est qu'il conserve l'illusion de savoir alors qu'il n'a pas évoqué la matière.

Alexandra : « Je ne suis pas capable de mémoriser les formules mathématiques parce que je n'aime pas les maths. » Problème d'aptitude, de méthode ou d'intérêt ?

Lorsque nous connaissons les bases du geste de mémorisation et les conditions essentielles à mettre en place pour qu'elles s'actualisent, il est indispensable de vérifier si ces dernières ont été conscientisées et pratiquées avant de poser un constat d'inaptitude à la mémorisation chez un jeune.

En offrant les moyens aux enfants, on leur permet de réussir dans les domaines qui leur paraissent moins attrayants. Ce sera à eux, ensuite, de décider s'ils mettront ces moyens à l'œuvre ou pas. Et qui sait ? Comme disait si bien Simon, dans un atelier avec d'autres élèves : « À force d'utiliser la bonne méthode, tu vas aimer la matière ! »

La mémorisation se fait avec plus ou moins d'effort selon que le contenu nous est familier ou non. Toutefois, il faut se garder de croire que l'intérêt pour un sujet suffit pour mémoriser une information.

Jenny (adulte) : Et le sens fut ! « Je suis démotivée dans mon cours de physique. »

Jenny réalise le plaisir qu'elle a à réactiver mentalement ses pas de danse. C'est d'ailleurs ce qui lui permet de bien mémoriser ses routines. Cette passion pour la danse ne trouvait pas écho dans son cours de physique. Toutefois, lorsqu'elle a compris que, par l'évocation, la réactivation et le projet d'avenir de réutilisation, elle pouvait mémoriser les formules et les concepts de physique, son projet de sens fut motivé par le fait qu'elle avait découvert les moyens mentaux pour réussir son cours.

Tristan : prendre conscience de ses propres moyens

Depuis deux semaines, Tristan fait des retours après la classe. La nécessité du projet d'avenir et des temps de réactivation dans tout nouvel apprentissage lui ont été expliqués ainsi que l'importance de faire des retours après les heures de cours. À sa rencontre hebdomadaire, Tristan se questionne sur l'efficacité de ces retours et me dit qu'il n'a pas besoin de faire de tels retours pour les trucs qu'il apprend sur l'ordinateur, sa passion. « Lorsque mon ami m'explique un truc à faire sur l'ordinateur, je n'ai pas de difficulté à m'en rappeler une fois rendu à la maison devant l'ordinateur. » Un petit dialogue pédagogique s'imposait ici.

José :

Que fais-tu dans ta tête lorsque ton ami t'explique de nouveaux trucs ?

Tristan :

J'ai hâte d'arriver chez moi pour les essayer.

José :

Qu'est-ce que tu veux dire par là ? Est-ce que tu t'imagines déjà en train de pratiquer les trucs devant ton ordinateur ?

Tristan :

Oh oui ! Je vois mon écran et je me redis les mots clefs pour me rappeler comment faire, puis je le fais.

José :

Tu fais tout cela pendant que ton ami te fait la démonstration ?

Tristan :

Oui.

José :

Est-ce qu'il t'arrive d'oublier des détails importants ?

Tristan :

Non... mais j'ai assez peur de les oublier que je me les répète et je les vois devant mon ordinateur pendant le voyage de retour à la maison.

José :

Tu pratiques la mémorisation sur le chemin du retour à la maison en respectant ces trois conditions essentielles : l'évocation, le projet d'avenir et, enfin, la réactivation.

Il est plus naturel et plus facile de pratiquer la mémorisation dans un domaine qui nous passionne que dans une matière qui nous captive moins. Cependant, nous venons de découvrir les moyens qui semblent convenir à Tristan. Il n'en tient maintenant qu'à lui de pratiquer le geste de mémorisation dans les domaines où il aimerait réussir.

Tristan réalise donc qu'il a non seulement les moyens pour être plus autonome dans ses études, mais aussi qu'il est devenu responsable de sa réussite. Nous avons pu mettre fin à nos rencontres la semaine suivante.

Soyons assurés que, pour mémoriser, il faut absolument pratiquer le geste d'attention, c'est-à-dire faire des évocations visuelles, verbales ou auditives qui traduisent ce qui est présenté à notre perception, et se construire un imaginaire d'avenir accueillant où l'on pourra utiliser ces informations.

Chapitre 9

Des questions de parents

? Ma fille oublie toujours des livres à l'école. Je vais la chercher et je lui demande de vérifier dans son sac si tous les livres y sont. Ce qu'elle s'empresse de faire, puis elle me répond que tout y est. Rendues à la maison, c'est quasi certain qu'il manque au moins un cahier. Je dois vous spécifier qu'elle n'est ni impulsive ni hyperactive et qu'elle a à cœur de ne rien oublier.

Avant de regarder dans son sac, elle doit évoquer (nommer ou voir mentalement) ce dont elle a besoin pour chacun de ses travaux et de ses études pour vérifier ensuite leur présence ou non dans son sac.

En effet, elle ne doit pas simplement regarder dans son sac, car elle ne fera que constater ce qui est présent au détriment de ce qui ne l'est pas. Elle demeure en perception en regardant ses livres, ce qui l'empêche de faire le lien avec ce dont elle a véritablement besoin pour tous ses devoirs et ses leçons. Évoquer l'objet avant de le chercher permet de fixer son attention sur lui pour le retrouver.

? Que puis-je répondre à mon enfant qui me dit qu'il ne sera jamais bon en écriture comme son oncle qui est écrivain ?

L'enfant est constamment mis en face du produit fini. Lorsqu'il regarde un livre, il n'a jamais l'occasion de voir et de constater à quel point l'auteur a travaillé pour en arriver là. Pour écrire une simple carte postale, il ne sait pas tout le temps et la réflexion qu'on a dû mettre pour arriver à écrire les deux phrases qui résument le plus important du voyage. La même chose se présente lorsqu'on lui montre une toile ou un dessin fait par une autre personne. Il se croit en face d'une personne qui a du talent, un don. Il est souvent convaincu qu'il n'en sera jamais capable.

Il faut démystifier ce qu'on fait en lui parlant et en lui montrant les étapes de travail qu'on a dû franchir pour atteindre le produit final.

Il en va de même dans tous les domaines (performance d'un champion olympique, aménagement d'un jardin par un paysagiste, nouvelles recettes des chefs cuisiniers, etc.) Nous sommes face au résultat final et nous ne saisissons pas toujours le travail et les efforts nécessaires qu'on a dû fournir pour y arriver.

? **Mon enfant évoque visuellement et arrive très difficilement à apprendre un poème par cœur. Comment puis-je l'aider ?**

Le « par cœur », pour celui qui évoque surtout visuellement, est en effet plus difficile que pour celui qui a une dominance verbale/auditive. Cela étant dit, il y a des moyens qui lui permettront de réussir un projet de cette nature.

Il devra d'abord se faire des scènes (évocation visuelle concrète ou en dessin) du poème en question en ayant comme projet de le raconter dans ses propres mots. Puis, il devra partir de son histoire et y associer les mots du poème en question. Certains vont préférer « photographier » les mots du poème. L'idée est d'amener l'enfant à adapter son projet en fonction de la production demandée qui, ici, est de redonner tel quel le poème et non pas seulement le comprendre. Plusieurs vont passer par la compréhension pour avoir accès à la mémorisation d'un poème tandis que d'autres auront accès à la compréhension du poème en passant par sa mémorisation. De là l'importance de respecter les dominances de chacun tout en considérant la nature de la production.

? **Quels autres types de questions pourrions-nous poser à nos enfants qui sont en panne durant la période des devoirs ?**

– Écoutes-tu avec le projet de revoir à ta façon ou de réentendre dans tes mots ce que le professeur dit ou écrit ?

ou encore,

– Est-ce que tu te redis « dans ta tête », c'est-à-dire mentalement, ce que le professeur a dit ou a écrit ?

– Est-ce que tu revois mentalement les mots ou les phrases que le professeur a écrits ?

– Est-ce que tu revois mentalement des scènes, des schémas ou des plans que le professeur a présentés oralement ou par écrit ?

– Qu'as-tu entendu, vu ou fait en classe qui te rappelle cette notion ?

? **En situation de perception visuelle, suis-je avantagé si j'ai l'habitude d'évoquer visuellement ?**

Oui. Toutefois, il est important de comprendre que celui qui a une préférence pour l'évocation visuelle peut se construire des évocations visuelles à partir de ce qu'il entend. De même, celui qui a une prédisposition pour les évocations verbales pourra se décrire les images qui lui sont présentées à sa perception visuelle.

Il en va ainsi pour toute production qui est demandée. Une production de type visuel (dessin, carte géographique) est plus rapide à faire à partir d'une évocation visuelle qu'à partir d'une évocation auditive pourvu que l'évocation visuelle soit adaptée à la tâche.

Voyons sous forme de schéma les différents itinéraires possibles.

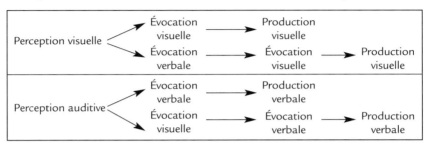

Comme l'attention auditive est constamment sollicitée à l'école, on remarquera que celui qui gère bien ses évocations auditives se trouvera favorisé par rapport à celui qui a une forte dominance visuelle.

Ces «itinéraires mentaux» peuvent se complexifier avec les autres caractéristiques qui décrivent les différentes catégories et contenus des évocations. Il y a encore là une excellente raison pour laisser le temps aux enfants, en situation d'apprentissage, de construire leurs évocations.

VOICI L'EXEMPLE D'UN ITINÉRAIRE POSSIBLE POUR ARRIVER À ÉCRIRE UN MOT EN DICTÉE.

Perception auditive: j'entends mon enseignante dire le mot «leçon».

Évocation verbale: je me dis le mot mentalement.

Évocation visuelle concrète (les objets, les personnes, les scènes, etc.): je vois mon cahier de leçons mentalement.

Évocation visuelle d'automatismes (symboles, mots, chiffres, etc.): je vois mentalement les mots écrits (les lettres).

Évocation visuelle abstraite/complexe (schémas, catégories, analogies, règles, etc.): je revois, mentalement, la règle du C devant O, A et U qui sonne comme K si je ne mets pas de cédille.

Production écrite: j'écris le mot.

? **Je dois toujours expliquer les devoirs à mon enfant. Parfois même, je l'avoue, je suis si exaspérée que je lui donne les réponses ou je lui dis comment faire. Est-ce normal?**

C'est normal et très humain de céder! Il faut seulement faire attention à ce que ça ne devienne pas monnaie courante. Offrez-lui plutôt un soutien: «As-tu lu et évoqué la question? T'es-tu relu avec le projet de te vérifier? As-tu des questions à poser à ton enseignante?» Il faut comprendre que le parent n'a pas à se substituer à l'enseignant ou à l'orthopédagogue. Trop l'aider ou faire à sa place en pensant le soulager n'aidera en rien. L'enfant n'est pas dupe, il n'en sera pas fier et risque de développer une dépendance à son parent. Il n'apprendra pas l'effort et il ne saisira pas réellement ce qu'est la compréhension. En plus, il n'aura pas le projet d'écouter en classe si son parent lui donne toutes les explications le soir venu.

Si cette situation se présente souvent, vous devez en parler avec l'enseignante et voir avec elle si c'est une question de planification ou d'organisation de la période des devoirs et des leçons ou s'il s'agit de symptômes de difficulté chez l'enfant. Certaines adaptations peuvent être faites. Diminuer la quantité de travail pour chacun des devoirs, par exemple.

Avant de donner des explications à votre enfant, demandez-lui ce qu'il comprend et démontrez-lui que vous êtes content qu'il vous explique ou qu'il vous fasse une démonstration de ce qu'il sait. C'est une étape très importante, car on est souvent surpris de constater que l'enfant trouve le sens en expliquant ou en faisant une démonstration. Si c'est le cas, félicitez-le et faites-lui remarquer qu'il a trouvé le sens par lui-même sans que vous ayez eu à lui donner des explications. Demandez-lui si, la prochaine fois, il pourra faire cette étape sans votre aide en s'imaginant vous l'expliquer ou en se l'expliquant.

Dans le cas où il a besoin d'aide, demandez-lui de faire revenir mentalement ce qu'il a vu, entendu ou fait en classe qui se rapporte à cet exercice. Cela peut l'aider à faire son devoir seul par la suite. S'il est toujours en panne, vous pouvez lui expliquer, par exemple, le premier numéro en lui laissant le temps d'évoquer et en lui mentionnant qu'il devra faire les autres avec un minimum d'aide. Essayez de lui donner une explication et un exemple. L'exemple ou l'explication en premier, selon son désir. S'il est toujours en difficulté, il faudrait en informer l'enseignante afin de convenir ensemble des futures interventions.

? **Comment favoriser le transfert des apprentissages scolaires?**

Souvenons-nous que pour qu'une connaissance soit transférable, elle doit inévitablement avoir été évoquée puis investie d'un projet d'avenir. Il faut, par conséquent, éviter que le domaine scolaire soit à part des domaines social et familial, et montrer l'utilité d'une connaissance dans le quotidien. Par exemple, on peut réutiliser les nouveaux mots de vocabulaire dans une discussion pour consolider son sens.

Quand l'occasion se présente, par exemple lors d'une sortie en lien avec son sujet de recherche ou de lecture, questionner l'enfant pour lui permettre de montrer ce qu'il connaît. Il en sera fier et d'autant plus motivé à apprendre. Vous pouvez aussi lui demander un petit service qui implique d'utiliser ses nouvelles connaissances et habiletés.

? **Mon enfant dit ne rien voir ni ne rien entendre dans sa tête. Il me semble que c'est impossible. Que puis-je faire?**

Certains enfants résistent à décrire leurs évocations. Cela peut s'expliquer par le fait qu'ils ne voient pas le lien avec leurs apprentissages ou qu'ils ne voient pas l'intérêt d'en parler, croyant que tous fonctionnent de la même façon. La raison pour laquelle la grande majorité des enfants disent ne rien voir ou ne rien entendre dans leur tête, c'est qu'ils ne sont pas conscients de leurs évocations ou que celles-ci sont pauvres ou fugitives. Il faut leur montrer qu'il y a différentes manières de fonctionner qui peuvent être toutes bonnes, et que vous êtes intéressé à découvrir la leur afin de pouvoir mieux les accompagner dans leurs apprentissages. C'est en échangeant en famille ou avec des amis sur la manière d'évoquer de chacun qu'on peut découvrir notre propre façon de faire des évocations.

Entre-temps, on peut demander à son enfant s'il préfère qu'on l'aide d'une façon particulière, en lui donnant d'abord un exemple ou la théorie, c'est-à-dire en lui faisant une démonstration ou en lui expliquant la règle.

? **Mon enfant éprouve des difficultés à apprendre ses mots de vocabulaire pour la dictée malgré tout l'effort et la bonne volonté qu'il y met.**

On doit s'assurer d'abord qu'il évoque l'orthographe du mot et qu'il ne demeure pas en perception. Pour cela, il faut d'abord retirer de sa vue le mot à mémoriser (perception visuelle) et lui demander de vous dire les lettres qu'il voit mentalement (« dans sa tête ») ou qu'il vous épelle le mot à l'aide des sons et des trucs évoqués qu'il se sera donnés.

Certains parents disent que leur enfant sait bien ses mots à la maison, mais que les résultats aux contrôles hebdomadaires ne sont pas bons. Dans ce cas, c'est le projet d'avenir qu'il faut vérifier. S'imagine-t-il, au moment où il étudie l'orthographe de ses mots, être en train de faire sa dictée et de la réussir ? Est-ce qu'à la maison on lui demande d'épeler ses mots alors qu'en classe on lui demande de les écrire ? À l'école, lui demande-t-on ses mots de vocabulaire dans une dictée de phrases ou sous la forme d'une liste de mots ? Et à la maison ? Si la dictée de l'école est donnée sous la forme de phrases, l'enfant doit non seulement faire revenir l'orthographe du mot, mais aussi ses stratégies de correction grammaticale.

Enfin, il faut aussi comprendre qu'il est primordial de pratiquer (de réactiver) les mots plus difficiles tous les jours et parfois même quelques fois par jour.

? **Comment puis-je favoriser l'introspection chez mon enfant, d'une fois à l'autre, sans avoir l'impression de l'influencer ?**

Nous avons tous une dominance dans notre fonctionnement. Certains évoquent plus auditivement ou verbalement pendant que d'autres préfèrent se construire des images visuelles. On peut favoriser certains contenus (concret, symbolique, complexe et inédit) et en négliger d'autres. Il y en a qui ont accès à la compréhension plus facilement par des exemples et d'autres, par des explications, etc. Lorsqu'on sait qu'il existe différentes façons de fonctionner mentalement, on reste ouvert à la différence, et on impose moins notre façon de s'approprier les connaissances. La pédagogie des gestes mentaux offre un cadre de référence qui nous permet de présenter à l'enfant différentes manières de fonctionner. Il importe donc de proposer au moins deux manières différentes d'évoquer : visuelle, verbale ou auditive ; concrète, symbolique ou abstraite ; comme acteur ou spectateur ; comme narrateur ou auditeur…

Malgré que nous n'ayons pas développé le geste de compréhension dans ce livre, on peut aussi demander à l'enfant s'il préfère qu'on lui explique d'abord ou qu'on lui fasse une démonstration ou qu'on lui donne un exemple.

On peut aussi lui faire remarquer des similitudes et des différences dans son fonctionnement mental au cours de deux activités distinctes, à la condition, évidemment, que ce soit fait dans un contexte d'hypothèses.

? **De manière générale et avec des exemples concrets de la vie de tous les jours, qu'est-ce qui distingue une personne qui a une dominance visuelle d'une autre qui a une dominance verbale ?**

Voici un tableau comparatif des caractéristiques des dominances visuelle, auditive et verbale. Attention toutefois de ne pas catégoriser trop rapidement à partir de ces caractéristiques plus ou moins généralisables.

Dominance verbale/verbale (lieu de sens = temps, approche séquentielle)	Dominance visuelle (lieu de sens = espace, approche simultanée)
• Habitude de prendre ce qui est présenté à sa perception pour se les commenter ou pour les réentendre.	• Habitude de prendre ce qui est présenté à sa perception pour en faire une évocation visuelle fixe ou en mouvement.
• Elle se raconte ce qu'elle vit et ce qu'elle voit ; elle réentend les paroles.	• Elle reproduit sans mot par un croquis, un plan ou un dessin.
• Elle accorde de l'importance aux détails.	• Elle saisit l'essentiel.
Exemples :	Exemples :
• La démonstration du mouvement de l'entraîneur de gymnastique vient de se terminer alors que la personne à dominance auditive/verbale commence tout juste son discours intérieur, c'est-à-dire la description en mots du mouvement. Il faudra refaire la démonstration plusieurs fois afin qu'elle puisse reconstituer l'enchaînement du mouvement.	• Pour se rendre à un endroit inconnu, elle préfère qu'on lui dessine un croquis ou qu'on lui montre une carte qu'elle évoquera, puis elle comparera son évocation à la réalité du trajet.
• Elle retient bien les informations transmises verbalement.	• Si elle joue au tennis, par exemple, elle observera le geste du professeur et s'en donnera une évocation visuelle qu'elle tentera de reproduire.
• Elle devra utiliser les mots pour décrire les schémas, les dessins, les tableaux, etc.	• Elle aura, par contre, plus de difficulté à l'expliquer avec des mots à une autre personne.

Dominance verbale/verbale (lieu de sens = temps, approche séquentielle)	Dominance visuelle (lieu de sens = espace, approche simultanée)
Ses forces • Les rythmes, les mots, la musique. • S'exprime aisément. • Est rarement à court d'argument. • Raconte bien les histoires. • Apprendre par cœur. • Retient facilement les noms. • L'histoire, la littérature, la rédaction, la dissertation. • Les mots eux-mêmes en appellent d'autres par associations, synonymes ou consonances. • Préfère une pédagogie déductive. *Ses difficultés* • Orthographe (devra se donner des trucs pour mémoriser). • En mathématiques, elle est lente dans sa manière d'opérer, puisqu'elle se tient tout un discours décrivant ce qu'elle doit faire. Peut oublier une retenue. Elle n'a pas, dans sa tête, l'image visuelle de la position des chiffres. • Peut manquer de méthode en sciences. • Les activités manuelles et sportives peuvent être plus difficiles.	*Ses forces* • Adroite dans les sports et le travail manuel. • Bonne en orthographe d'usage. • Bonne en orthographe d'accord si elle utilise une stratégie visuelle pour mémoriser et appliquer la règle. Il en va de même pour les opérations mathématiques, la géométrie. • Elle excelle en reproduction de schémas et de croquis. • Elle préfère un enseignement inductif. *Ses difficultés* • Apprendre par cœur (sa mémoire ne s'exprime pas par mots) • Les leçons d'histoire. • Trouver les mots pour exprimer ses idées. • Rédaction, dissertation.

? **En résumé, que faut-il prendre en considération face à un enfant qui est aux prises avec une difficulté ?**

Objet de perception et évocation	Que faire ?
• Tout d'abord, on doit observer s'il cherche à évoquer (« mettre dans sa tête ») ou s'il demeure en perception (ne fait que regarder, relire, réécouter, refaire sans cesse sans prendre le temps de « mettre dans sa tête », d'évoquer). • Si on lui enlève l'objet de perception, il se sentira démuni, voire perdu, et donc incapable de poursuivre la tâche.	• Lui enlever l'objet de perception (ex. : la feuille, le texte, la résolution de problème) en prenant bien soin au préalable de l'avertir que vous agirez ainsi et en lui laissant le temps de faire ou, à tout le moins, d'amorcer une évocation. Il pourra développer et enrichir cette dernière par les mouvements d'aller-retour entre son évocation (ce qu'il fait dans sa tête) et la perception (l'objet qu'il regarde ou écoute) qu'on lui représente autant de fois qu'il en manifeste le besoin.

Projet de sens	Que faire?
• A-t-il un projet de sens pour ses évocations? En d'autres mots, qu'a-t-il l'intention de faire avec elles? Quel est son projet? Mémoriser, comprendre, etc.? Prend-il en compte toutes les étapes de l'itinéraire mental pour rendre efficace son projet? Par exemple, regarder pour «mettre dans sa tête», s'imaginer des projets d'avenir et réactiver autant de fois que nécessaire pour actualiser le projet de mémorisation.	• L'amener à préciser son projet et à le comparer avec celui de l'enseignante, du devoir, du contrôle, de la tâche, du jeu, etc. L'amener à ce qu'il évoque la finalité et les moyens (en terme d'actions et aussi, de contenu d'évocation) nécessaires à la réussite de la tâche.
Le contenu des évocations	**Que faire?**
• Quel est le contenu de ses évocations? Peut-il l'amener à atteindre son objectif? Par exemple, je dois mémoriser l'orthographe du mot chat. Si je vois un véritable chat dans ma tête (image concrète), cette image ne m'aidera pas à me souvenir de l'orthographe du mot. Je dois passer à l'évocation où je vois/ j'entends les lettres du mot.	• Lui faire prendre conscience du contenu de ses évocations par l'introspection et à en envisager d'autres qui peuvent être nécessaires, selon la tâche exigée.

Afin de favoriser la production d'évocations adéquates, il importe de rendre la situation explicite et d'être clair dans nos consignes. Par exemple, il faut dire clairement à l'enfant:

«Apprends ce poème pour le réciter tel quel. Ce qui signifie que si tu as pris l'habitude d'évoquer visuellement des scènes concrètes, tu devras en imaginer représentant le poème, pour ensuite retourner aux mots du poème que tu dois évoquer tels quels. Si tu évoques plutôt verbalement, tu devras traduire le poème en tes propres mots puis revenir à ceux du poème.»

«Si tu as l'habitude d'évoquer auditivement, tu peux évoquer les mots du poème directement puisque ton projet est de produire des évocations conformes à l'objet de perception.»

Autre exemple: «Apprends ce poème pour le comprendre.» Chez certaines personnes, comprendre un poème, c'est en extraire le sens par un résumé. D'autres préféreront l'évoquer tel quel pour ensuite le dire en leurs mots. D'autres s'en construiront des images et, à partir de ces images, se parleront…

Conclusion

Il faut retenir que la pratique des gestes mentaux de la connaissance trouve sa force dans la mobilité entre les diverses formes évocatives (visuelle, auditive, verbale, et la capacité à générer des évocations concrètes et abstraites) et les structures de projets de sens.

C'est une pédagogie du sens. Le sens que chacun doit découvrir par la mise en œuvre de ses propres moyens pour y parvenir. L'introspection amène à décrire sa propre réalité mentale et permet de prendre conscience de son propre fonctionnement mental pour, ainsi, augmenter son efficacité.

Comme nous l'avons mentionné dans l'introduction, ce livre n'a pas la prétention de couvrir tous les concepts de la pédagogie des gestes mentaux. Il n'en demeure pas moins qu'il offre une sensibilisation à cette approche pédagogique tout en outillant les parents pour certaines activités scolaires et familiales.

Évoquer : un prérequis à la réussite scolaire

De nombreux parents constatent que leur enfant, malgré les efforts qu'il fournit au cours de la période des devoirs et des leçons, persiste à avoir des difficultés dans ses apprentissages. Face au sentiment d'impuissance, l'enfant devient peu à peu maussade, le parent s'impatiente et c'est souvent une atmosphère de tension, accompagnée de pleurs, qui règne dans la maison. On espère alors que le temps arrangera les choses. Mais pour un enfant qui vit son primaire avec un sentiment d'échec et de frustration qui l'habite chaque jour, sans comprendre vraiment pourquoi, il y a de fortes chances qu'il perde le goût de s'engager, qu'il se démotive et, l'estime de soi étant atteinte, qu'il anticipe avec appréhension ses études secondaires.

Il faut bien comprendre que les connaissances sont très importantes et que les habiletés à se les approprier le sont d'autant plus. Munir son enfant de moyens pour s'approprier les connaissances qui l'intéressent et qui lui seront utiles dépasse en importance le fait de l'alimenter en connaissances. La découverte des bases de la pédagogie des gestes mentaux permet à tous de développer ces moyens. Cette pédagogie nous fait aussi constater la présence d'une grande diversité dans les habitudes mentales. Ce constat ouvre sur l'acceptation de la différence des enfants et des individus en général, et de leur respect.

La très grande majorité des méthodes d'enseignement sont efficaces, mais il faut se rendre à l'évidence que toutes les pédagogies ne conviennent pas à tous les apprenants. Quant à la pédagogie des gestes mentaux, elle permet à chacun de prendre conscience de la méthode qui lui convient le mieux.

Ce livre vous propose des outils pour intervenir autrement auprès de votre enfant dans tout genre d'apprentissage. Mais il faut faire attention, comme parent, de se donner le mandat de vouloir décrire avec précision le fonctionnement de son enfant. Il est plus important de l'amener à ce qu'il se rende compte qu'il a une vie intérieure et qu'il se mette à rechercher comment il fait mentalement pour apprendre. Le seul fait de l'amener à évoquer en lui laissant le temps et de l'inciter à se mettre en projet provoquera déjà des changements bénéfiques.

N'imposez pas une façon de faire qui vous semble pourtant évidente. Vous courez le risque que l'enfant s'y conforme sans y trouver du sens. Posez-lui des questions, demandez-lui de quelle manière il préfère qu'on lui explique les choses, proposez-lui différentes façons de faire afin qu'il puisse choisir. Faites des essais ensemble.

Il faut faire attention de ne pas porter de jugement (avec des mots ou des réactions non verbales) même si sa réponse paraît tirée par les cheveux ou incohérente. Elle a une raison d'être, un sens pour lui.

Au cours des devoirs, demandez-lui: « Qu'as-tu appris aujourd'hui ou dernièrement qui te permettrait de réussir cet exercice? », « Quelles sont les connaissances que tu possèdes déjà et qui te seront utiles pour résoudre ce problème? »

Cette approche crée une atmosphère d'ouverture et de respect propice à l'apprentissage.

Plus un enfant découvre jeune les stratégies qui favorisent sa réussite, plus il a du plaisir à apprendre et plus vite il devient autonome et responsable de ses apprentissages. Cela dit, il n'est jamais trop tard pour bien faire. Cependant, il faut démontrer plus de patience et de persévérance dans l'appropriation de nouvelles habitudes pour qu'elles deviennent familières.

Encouragez votre enfant à émettre des hypothèses dans tous les domaines où des décisions sont à prendre et incitez-le à oser tout en s'accordant le droit à l'erreur. Il faut amener l'enfant à faire des choix et à prendre des décisions, car faire des apprentissages est aussi une affaire de choix et de décisions. Sinon, l'enfant prendra tel quel ce qui lui est présenté sans nécessairement l'intégrer ou y trouver du sens. Se tromper n'est pas grave, cela fait partie de l'apprentissage.

Mettez l'accent sur ce qu'il fait de bien ou sur ce qu'il a réussi. Valoriser ses efforts pour modifier ses habitudes mentales.

La gestion mentale propose, pour plusieurs, une nouvelle manière d'aborder certains concepts qu'il faut prendre le temps de s'approprier. C'est en osant qu'on y parvient tranquillement.

D'abord, il est bon de reconnaître ce que l'on fait déjà bien instinctivement comme parent. Puis, il faut prendre de la pédagogie des gestes mentaux ce qui nous convient, en expérimentant ce qui nous semble le plus accessible, en se donnant le droit de se tromper, tout en se permettant, plus tard, d'aller plus loin. De plus, il est préférable de mettre votre enfant au courant que vous aimeriez tenter une nouvelle manière de l'aider afin qu'il s'attende à vivre de nouvelles expériences.

Les habitudes ne se changent pas facilement. En développer de nouvelles prend du temps. Laissez-vous du temps pour intégrer les différentes notions qui ont été abordées dans ce livre. Allez-y graduellement et pensez que ce qui est bon pour votre enfant l'est aussi pour vous. Gardez en tête qu'on doit réactiver et pratiquer pour que nos nouveaux apprentissages deviennent des habitudes.

Dans la recherche de ses moyens d'apprendre, l'enfant doit être aussi actif, sinon plus, que le parent. Plus il prendra conscience de sa propre façon de fonctionner mentalement et des différentes façons de fonctionner, plus il pourra s'adapter à différentes tâches et façons d'enseigner.

La pratique constante des bases de la pédagogie des gestes mentaux offre enfin un moyen d'avoir un pouvoir sur nos apprentissages. L'adulte, par les mots qu'il emploie pour tenter de traduire ce que l'enfant vit, lui offre une résonance. Il lui remet son pouvoir. Lorsque l'enfant prend conscience de ce pouvoir, il devient plus autonome et responsable de ce qui se passe dans sa tête, donc de ses apprentissages.

Lexique

Objets de perception

- C'est l'objet qui est perçu par nos cinq sens. Il est à l'extérieur de nous. Il est de nature physique.
- On perçoit auditivement lorsqu'on entend.
- On perçoit visuellement lorsqu'on voit.

Évocation

- C'est la représentation qu'on se fait mentalement, «dans notre tête», de ce qui est perçu. C'est notre cinéma ou notre narration intérieure.
- Le vu devient le regardé. L'entendu devient l'écouté.

Catégories d'évocation

Nous parlons:
- d'évocations visuelles lorsqu'on revoit, tel quel, mentalement ce qui est présenté à notre perception.
- d'évocations autovisuelles lorsqu'on fait partie de nos évocations visuelles ou que l'on produit nos propres images mentales.
- d'évocations auditives lorsqu'on entend mentalement la description ou le son des êtres et des choses perçus.
- d'évocations verbales lorsqu'on entend mentalement notre propre voix ou lorsqu'on décrit mentalement en nos propres mots ce qu'on perçoit.

Rôles du sujet

- L'acteur (évocation autovisuelle) et le narrateur (évocation verbale) agissent dans leurs évocations et transforment le perçu en leurs propres images et mots.
- Le spectateur (évocation visuelle) et l'auditeur (évocation auditive), quant à eux, témoignent et reproduisent.

Contenu des évocations

- Évocations du concret, du quotidien (objets, personnes, scènes, conversations, etc.).
- Évocations automatisées, apprentissages simples (symboles, mots, chiffres, etc.).
- Évocations de l'abstrait, apprentissages complexes (schémas, catégories, relations, rapports, liens logiques, analogies, règles, etc.).
- Évocations de l'inédit, l'imagination créatrice (invention, découverte).

Projet de sens

- C'est l'orientation que l'on donne à notre pensée en fonction des gestes mentaux à accomplir et en fonction de ce qui nous anime.

Se mettre en projet de...

- Signifie avoir des intentions, un but pour nos évocations. Cela signifie aussi de mobiliser les outils mentaux (les moyens nécessaires) pour y parvenir.

Être en projet d'attention

- Signifie qu'**avant** de voir ou d'entendre, il faut se préparer à se représenter, à évoquer ce qui nous sera montré ou dit. Ce vu et entendu deviendront le regardé et l'écouté.

Le projet de sens de mémorisation

- Implique d'être attentif en ayant un projet d'avenir de réutilisation des évocations et des moments de réactivation nécessaires pour la mémorisation à long terme.

Introspection cognitive

- Auto-observation sur ses propres procédures mentales pendant et après l'exécution d'une tâche intellectuelle à l'aide du dialogue pédagogique.

Dialogue pédagogique

- Il vise, lors d'une entrevue entre l'enseignant et l'élève, à faire ressortir le fonctionnement mental de l'élève face à une tâche précise. Des hypothèses de fonctionnement sont élaborées, puis des méthodes sont proposées en fonction de la pédagogie des gestes mentaux.

Références bibliographiques

BOUILLET, Anne-Françoise. *Dialogue pédagogique entre enfant et parent(s). Bonheur d'apprendre, plaisir de connaître.* Paris, Actes du colloque international de gestion mentale, IIGM, 2003.

CHICH, J.-P., M. JACQUET, N. MÉRIAUX, M. VERNEYRE. *Pratique pédagogique de la gestion mentale.* Paris, Éditions Retz, 1991.

CÔTÉ, Claire. *La gestion mentale au cœur de l'apprentissage. Résolution de problèmes.* Montréal, Éditions Chenelière/McGraw-Hill, 2000.

GALLIEN, Marie-Pierre. *Libérer l'imagination.* Paris, Éditions Bayard, 1993.

GATÉ, Jean-Pierre. *La gestion mentale et la pédagogie du lire-écrire.* Lyon, Voies livres, 1995.

GIANESIN, Francesca. *La gestion mentale au cœur de l'apprentissage: mémoriser pour comprendre, réfléchir et créer.* Montréal, Éditions Chenelière/ McGraw-Hill, 2000.

LA GARANDERIE, Antoine de. *Les profils pédagogiques.* Paris, Éditions du Centurion, 1980.

LA GARANDERIE, Antoine de. *Pédagogie des moyens d'apprendre.* Paris, Éditions du Centurion, 1982.

LA GARANDERIE, Antoine de. *Le dialogue pédagogique avec l'élève.* Paris, Éditions du Centurion, 1984.

LA GARANDERIE, Antoine de. *Comprendre et imaginer.* Paris, Éditions du Centurion, 1987.

LA GARANDERIE, Antoine de. *Défense et illustration de l'introspection.* Éditions du Centurion, 1989.

LA GARANDERIE, Antoine de. *Pour une pédagogie de l'intelligence.* Paris, Éditions du Centurion, 1990.

LA GARANDERIE, Antoine de. *La motivation: son éveil, son développement.* Éditions du Centurion, Paris, 1991.

LA GARANDERIE, Antoine de. *L'intuition, de la perception au concept.* Paris, Éditions Bayard, 1995.

LA GARANDERIE, Antoine de. *Critique de la raison pédagogique.* Paris, Éditions Nathan, 1997.

LA GARANDERIE, Antoine de. *Les grands projets de nos petits.* Paris, Éditions Bayard, 2001.

LA GARANDERIE, Antoine de. *Comprendre les chemins de la connaissance, une pédagogie du sens.* Paris, Éditions Chronique sociale, 2002.

MARTEL, Virginie. *Compréhension en lecture et gestion mentale : recherche de sens et apprentissages.* Paris, Actes du colloque international de gestion mentale, IIGM, 2005.

PAQUETTE-CHAYER, Lucille. *La gestion mentale au cœur de l'apprentissage : compréhension de lecture.* Montréal, Éditions Chenelière/McGraw-Hill, 2000.

PÉBREL, Christiane (sous la direction de). *La gestion mentale à l'école : concepts et fiches pratiques.* Paris, Éditions Retz, 1993.

TAPERNOUX, Patrick. *Comprendre La Garanderie.* Toulouse, Éditions Privat, 1994.

TAURISSON, Alain. *Les chemins de la réussite en mathématique à l'élémentaire.* Ottawa, Éditions Nouvelles, 1995.

TAURISSON, Alain. *Le transfert des apprentissages : gestion mentale et mobilité de la pensée.* Rimouski, Actes du colloque international de gestion mentale, IIGM, 2000.

THOMAS, Christian, B. VISELTHIER. *Aidez votre enfant à apprendre.* Monaco, Éditions Le Rocher, Collection La Garanderie, 1990.

Ressources pour les parents

BÉLIVEAU, Marie-Claude. *Au retour de l'école… La place des parents dans l'apprentissage scolaire.* Montréal, Les Éditions de l'Hôpital Sainte-Justine, 2004.

BÉLIVEAU, Marie-Claude. *J'ai mal à l'école.* Montréal, Les Éditions de l'Hôpital Sainte-Justine, 2002.

BRISSARD, Françoise. *Aidez votre enfant à réussir.* Monaco, Éditions du Rocher, Collection La Garanderie, 1988.

BRISSARD, Françoise. *Développez l'intelligence de votre enfant par la méthode La Garanderie.* Monaco, Éditions du Rocher, 1988.

CAUSY, Pierre. *Aidez votre enfant en orthographe.* Monaco, Éditions Le Rocher, Collection La Garanderie, 1989.

CAUSY, Pierre. *Aidez votre enfant à apprendre ses leçons.* Monaco, Éditions Le Rocher, Collection La Garanderie, 1990.

DUCLOS, Germain, *Du côté des enfants, vol.III.* Montréal, Éditions de l'Hôpital Sainte-Justine, 1995.

HÉBERT, Sylvie, P. POTVIN. *Les devoirs, guide à l'intention des parents.* Saint-Augustin, Éditions Les parents d'abord enr., 1993.

LA GARANDERIE, Antoine de, D. ARQUIÉ. *Réussir ça s'apprend.* Paris, Éditions Bayard, 1994.

LA GARANDERIE, Antoine de, G. CATTAN. *Tous les enfants peuvent réussir.* Paris, Éditions du Centurion, 1988.

TINGRY, Elisabeth. *On peut tous réussir.* Paris, Éditions Bayard, 1991.